CURSO DE FONÉTICA Y FONOLOGÍA ESPAÑOLAS

COLECCION Textos Universitarios, nº 4

ANTONIO QUILIS y JOSEPH A. FERNÁNDEZ

CURSO DE FONÉTICA Y FONOLOGÍA ESPAÑOLAS

PARA ESTUDIANTES ANGLOAMERICANOS

DECIMOSÉPTIMA REIMPRESIÓN

Consejo Superior de Investigaciones Científicas

Madrid, 1999

© CSIC
© Antonio Quilis y Joseph A. Fernández
ISBN: 84-00-07088-7
Depósito Legal: M-38230-1999
Impreso en España-Printed in Spain
EBCOMP, S. A.
Bergantín, 1 - 28042 Madrid

PRESENTACIÓN

El fin que pretendemos con este nuevo libro, dirigido en general a los estudiantes de habla inglesa, y más concretamente a los angloamericanos, es ante todo el deseo de que lleguen a pronunciar con la mayor corrección posible el español, para lo que hemos introducido numerosos ejemplos, tanto desde el punto de vista fonético como fonológico. Pero para lograr una buena pronunciación creemos que no es suficiente la sola imitación de la pronunciación del profesor, o de la que está grabada en la cinta, aunque esto sea un factor imprescindible. Es necesario, además, un conocimiento de la fonología y de la fonética; por eso hemos introducido unas ligeras nociones de los dos aspectos del significante que les ayudarán eficientemente a corregir sus defectos, máxime cuando a todo lo largo del libro los hemos tenido presentes y hemos ido dando las oportunas indicaciones con el fin de corregirlos lo mejor posible. Por otro lado, la parte teórica del libro, que no es más que una introducción a la fonética y a la fonología, creemos que les será útil, ya que conviene que los estudiantes que se especialicen en lengua tengan estos conocimientos, y más aún si piensan algún día dedicarse a la enseñanza.

Opinamos también que a todo estudiante que haya seguido un curso de fonología y de fonética le conviene poder hacer transcripciones. En este libro empleamos el Alfabeto Fonético Internacional, *usado cada vez más en todos los ámbitos lingüísticos. Al aplicarlo al español, hemos introducido algunas reformas, que, conforme al espíritu de la Asociación, creemos que no modifican para nada su estructura, pero sí ayudan a matizar más ciertos aspectos fónicos de*

nuestra lengua [1]. *Una reforma atañe a la fricativa linguopalatal central de* mayo, p. ej., *que el AFI representa por* [j], *al
igual que la semiconsonante de* pie. *Nosotros hemos adoptado el símbolo* [j]. *Podríamos en realidad, desde el punto de
vista pedagógico, haber prescindido de esta distinción, que
muchas veces no va más allá de la meticulosidad, y que de
hecho no han distinguido incluso investigadores de alta
talla* [2], *pero creemos que merece ser incluida esta variante
(como las otras que hemos adoptado) para que estén a mano
cuando sea preciso matizar.*

Juzgamos que este Curso *puede servir como manual de
una clase de fonética "práctica" que se reúna tres veces por
semana durante un semestre. Así, los quince capítulos se pueden estudiar a razón de uno por semana, más o menos. Conviene hacer hincapié en que una gran parte de la clase debe
dedicarse a ejercicios de pronunciación (preparados de ante-
mano en el Laboratorio de lenguas) corregidos constantemente por el profesor. Como es cuestión de implantar nuevos hábitos de articulación, es decir, una nueva base articulatoria,
conviene empezar los ejercicios desde el primer momento,
antes de haber estudiado en clase los sonidos detalladamente.*

*Aconsejamos que se haga por lo menos una transcripción
fonológica y otra fonética por semana; el profesor dictará a
los estudiantes un trozo que éstos deberán transcribir direc-*

---

[1] Véanse las págs. XXVII a XXXII.

[2] V. MALMBERG, Bertil: «Linguistique ibérique et ibéro-romane», *Studia
Linguistica*, XV, 1961, págs. 83, 88; «Occlusion et spirance dans le système
consonantique de l'espagnol», *Mélanges... offerts à Karl Michaëlson*, Lund,
1952, pág. 357; etc.

tamente en signos fonéticos. Recomendamos preferentemente el uso de la notación semiestrecha (véase **Apéndice I***).*

No queremos que estas indicaciones se consideren muy rígidas ni mucho menos. Este libro puede emplearse también en un curso de dos semestres, dando así más tiempo para que los alumnos lleguen a dominar los nuevos hábitos articulatorios de que venimos hablando. Para ese fin hemos incluido un número bastante elevado de ejercicios. En el caso de que se carezca de Laboratorio de lenguas, los ejercicios pueden hacerse en clase, lo cual tiene la ventaja de que el profesor está presente para corregir los defectos de pronunciación que se puedan cometer. Cada profesor puede usar este libro de forma que en su clase saque el mayor provecho.

Como podemos ver, el presente Curso *tiene fines eminentemente prácticos, y debe mucho al método de nuestro maestro* Pierre Delattre, *que tan buenos resultados ha obtenido a través de muchos años de enseñanza de la Fonética francesa en distintas Universidades estadounidenses. Al profesor* Delattre *también le agradecemos haber leído el texto mecanografiado y las valiosas observaciones que nos ha hecho.*

Este libro es también deudor de los alumnos de las Universidades de Pensilvania y de Madrid, que durante cinco cursos nos han permitido ensayar este procedimiento, pudiendo comprobar más de cerca sus problemas e idear los procedimientos más adecuados para su corrección.

Las figuras que corresponden a las articulaciones españolas están sacadas de los films cinemarradiográficos españoles que posee la Sección de Fonética del Consejo Superior de Investigaciones Científicas, *obtenidos en la* Radiologie Centrale de l'Hôpital Civil de Strasbourg, *gracias a la ayuda y enseñanza continua de nuestro maestro* Georges Straka. *En este manual podrán apreciarse ligeras modificaciones con re-*

lación a las ideas fonéticas precedentes; todas ellas han sido fruto de innumerables experiencias realizadas en nuestro Laboratorio, y cuyos resultados están en vías de publicación en diversas revistas [3].

LA SEGUNDA EDICIÓN

Agotada en pocos meses la primera edición, hemos preparado esta segunda que ahora presentamos a nuestros lectores. En ella procuramos subsanar las imperfecciones de la anterior, ampliar o hacer más pedagógicas algunas explicaciones, añadir algunos párrafos nuevos, aumentar el número de ejemplos, cambiando algunos por otros más idóneos, reestructurar algunas partes del libro (acento, entonación), explicar más extensamente lo concerniente al Alfabeto Fonético Internacional, pues algunas de sus características no son bien conocidas en ciertos medios, etc., etc.; con esta total revisión creemos mejorar notablemente nuestro trabajo.

Queremos, además, expresar aquí nuestro agradecimiento más sincero a nuestra fraternal amiga Sonsoles Arangüena por los dibujos del texto y a cuantos de palabra o por escrito nos han aconsejado y alentado en nuestra empresa, y muy especialmente, entre otros, a los Profesores Manuel Alvar, Rafael de Balbín, Concepción Casado, Pierre Delattre, Luis Flórez, Bohuslav Hála, Makoto Hara, Roberto Lado, Péla Simon y Georges Straka.

Madrid-Washington, diciembre de 1965

---

[3] JOSEPH A. FERNÁNDEZ: «La anticipación vocálica en español». *Revista de Filología Española*, XLVI, 1963, 437-440; ANTONIO QUILIS: «Hacia un nuevo concepto de la ciencia fonética española», *Problemas y Principios del estructuralismo lingüístico*, Madrid, 1967, págs. 29-42; ANTONIO QUILIS: «Sobre los alófonos dentales de /s/», *Revista de Filología Española*, XLIX, 1966, págs. 335-343.

LA TERCERA EDICIÓN

Esta tercera edición es realmente la cuarta: la rapidez con que se agotó la segunda, obligó al C. S. I. C. a hacer una edición en offset de ella, en la que no pudimos introducir ninguna modificación. En esta tercera, hemos aclarado algunos conceptos, hemos ampliado el primer capítulo, anteponiendo al concepto de fonética y fonología el de lengua y habla, hemos estructurado un poco más lo referente a la entonación, aunque aún no estamos satisfechos de esta parte, etc., etc. Esto nos ha llevado a una total revisión del libro y a una pequeña ampliación, procurando que no pierda por ello el carácter elemental y pedagógico que quisimos infundirle desde el primer momento.

Deseamos expresar nuestra gratitud a cuantos utilizan en sus clases este Curso de Fonética y Fonología, *salvando con su experiencia y sus conocimientos las deficiencias que pueda tener.*

Madrid-North Carolina, diciembre de 1967.

LA CUARTA EDICIÓN

En esta cuarta edición, hemos revisado cuidadosamente el texto; hemos sustituido algunos cuadros y dibujos por otros más prácticos o más adecuados, añadiendo, además, esquemas cinerradiográficos de algunas articulaciones. También hemos desarrollado algunos puntos que en ediciones anteriores quedaban demasiado sucintos, ganando ahora, a nuestro juicio, en claridad.

Madrid-North Carolina, enero de 1969.

A. Q. y J. A. F.

ÍNDICE GENERAL

ALFABETO FONÉTICO INTERNACIONAL

En este libro, como en los de toda la colección, usamos el *Alfabeto Fonético Internacional*. En él empleamos los símbolos [c, ɟ] en lugar de [ʧ, ʤ]; la preferencia de utilización de los primeros se debe a que en español [c] es monofonemático, es decir, no es [t + ʃ], que hubiera dado lugar lógicamente a [tʃ] o [ʧ], y el *AFI* recomienda en este caso el empleo de [c] (véase D. JONES y A. DAHL: *Fundamentos de escritura fonética,* Londres, 1944, pág. 12); al adoptar este símbolo hemos asimilado la africada sonora, aun siendo alófono, no fonema, a la sorda, resultando así los símbolos [c, ɟ] para los sonidos africados. Con el afán de obtener un mayor grado de precisión, que encuadra perfectamente dentro del espíritu del *AFI,* hemos incluido los alófonos [l̥, l̦, n̥, n̩]. Hemos añadido el símbolo [j̃] para representar la fricativa linguopalatal central española de *mayo,* ya que es una consonante que presenta un mayor cierre articulatorio que la [j], que utilizamos como semiconsonante en [áθja] *hacia.* Preferimos emplear [r̄] para la vibrante múltiple en lugar de [rr] ya que ésta es, más que cuantitativa, cualitativamente diferente de [r].

El acento puede marcarse tanto al principio de la sílaba como sobre la vocal tónica; en la primera edición utilizamos el primer sistema: [el 'ɣato 'xweɣa], pero creemos que para el español, en igualdad de condiciones, es más cómodo el segundo criterio, y por ello lo adoptamos ya en la segunda edición: [el ɣáto xwéɣa].

Aunque por regla general los monosílabos no se acentúan, en la transcripción española lo hacemos, ya que en esta lengua, elementos que gráficamente son iguales, no lo son sintácticamente, pues según su función son tónicos o átonos: *él* pronombre y *el* artículo, *sí* adverbio y *si* conjunción, etc.

Fonética y Fonología españolas

En la transcripción fonética indicamos el límite de grupo fónico por el signo /. El símbolo // se usa para las pausas más largas de final de oración.

Signo	ESPAÑOL Representación ortográfica	Transcripción fonética	Signo	INGLÉS Representación ortográfica	Transcripción fonética
		CONSONANTES			
p	par	pár	p	pay	pei
b	bar	bár	b	bar	bɑr
t	té	té	t	tea	ti:
d	dar	dár	d	day	dei
k	cama	káma	k	cold	kould
g	gana	gána	g	go	gou
β	saber	saβér	—	—	—
f	fin	fín	f	foot	fut
—	—	—	v	vain	vein
θ	zumo	θúmo	θ	thin	θin
ð	codo	kóðo	ð	then	ðɛn
s	sol	sól	s	see	si:
ş	mismo	míşmo	—	—	—
—	—	—	z	zeal	zi:ɫ
—	—	—	ʃ	show	ʃou
—	—	—	ʒ	measure	'mɛʒər, 'mɛʒɚ
ǰ	ayer	aǰér	—	—	—
x	jota	xóta	—	—	—
—	—	—	h	heap	hi:p
ɣ	paga	páɣa	—	—	—
c	chico	cíko	c	cheap	ci:p
ɟ	cónyuge	kóɲɟuxe	ɟ	jump	ɟʌmp
m	mamá	mãmá	m	make	meik
ŋ	confuso	koŋfúso	—	—	—

Alfabeto Fonético Internacional

Signo	ESPAÑOL Representación ortográfica	Transcripción fonética	Signo	INGLÉS Representación ortográfica	Transcripción fonética
n	*n*o	nó	n	*n*o	nou
ṇ	o*n*ce	ónθe	—	—	—
ṇ̇	do*n*de	dóṇde	—	—	—
ŋ̣	co*n*cha	kóŋ̣ca	—	—	—
ŋ	ta*n*go	táŋgo	ŋ	lo*n*g	lɔŋ
ɲ	ca*ñ*a	káɲa	—	—	—
l	*l*ado	láðo	l	*l*eaf	li:f
ḷ	a*l*zar	aḷθár	—	—	—
—	—	—	ł	fu*ll*	fuł
ḷ	to*l*do	tóḷdo	—	—	—
ʎ	ca*ll*e	káʎe	—	—	—
r	pe*r*o	péro	r	*r*ed	rɛd
r̄	pe*rr*o	pér̄o	—	—	—
ɹ	co*r*to	kóɹto	—	—	—

S E M I C O N S O N A N T E S

j	p*i*e	pjé	j	*y*es	jɛs
w	c*u*atro	kwátro	w	*w*ine	wain

S E M I V O C A L E S

i̯	a*i*re	ái̯re	—	—	—
u̯	ra*u*do	r̄áu̯ðo	—	—	—

V O C A L E S

i	s*í*	sí	i:	s*ee*	si:
—	—	—	i	*i*t	it
e	t*é*	té	e	f*ai*l	feił
—	—	—	ei	d*ay*	dei
—	—	—	ɛ	f*e*ll	fɛł
—	—	—	æ	h*a*t	hæt
—	—	—	ɑ	f*a*ther	'fɑðə, 'fɑðɚ

Signo	ESPAÑOL Representación ortográfica	Transcripción fonética	Signo	INGLÉS Representación ortográfica	Transcripción fonética
a	est*á*	está	a	*a*isle	aił
—	—	—	ʌ	c*u*p	kʌp
—	—	—	ə	*a*bove	ə'bʌv
—	—	—	ɔ	h*o*t	hɔt
o	n*o*	nó	o	N*o*vember	no'vɛmbə, no'vɛmbəʳ
—	—	—	ou	g*o*	qou
—	—	—	u:	f*oo*d	fu:d
u	t*ú*	tú	u	g*oo*d	gud
—	—	—	əʳ	Amer. b*ir*d	bəʳd

SIGNOS DIACRÍTICOS

:   indica que el sonido precedente es largo: [zi:ł] *zeal.*

'   indica que la sílaba siguiente lleva acento primario: [sa'βer] *saber.*

,   indica que la sílaba siguiente lleva acento secundario: [æn,tægə'nistik] *antagonistic.*

'   colocado debajo de un signo consonántico indica que el sonido forma núcleo silábico: ['pi:pl̩] *people.*

ˇ   colocado debajo de un signo consonántico indica que el sonido sufre sonorización: [mís̬mo] *mismo.*

°   colocado debajo de un signo consonántico indica que el sonido sufre ensordecimiento: [pḷeis] *place.*

‿   señala la ligazón de dos o más sonidos vocálicos en una misma sílaba: [míre‿ustéð], *mire usted;* [iðe‿aliðáð], *idealidad;* con consonantes, indica que las dos se pronuncian como una.

ʔ   indica el golpe de glotis: [its 'ʔæbsəlu:tli 'fɔ:ls] *it's absolutely false.*

Consonantes

	Bilabial sor.	Bilabial son.	Labiodental sor.	Labiodental son.	Linguodental sor.	Linguodental son.	Linguointerdental sor.	Linguointerdental son.	Linguoalveolar sor.	Linguoalveolar son.	Linguopalatal sor.	Linguopalatal son.	Linguovelar sor.	Linguovelar son.
Oclusiva	p	b			t	d							k	g
Fricativa			f				θ		s			j	x	
Africada											c			
Nasal		m								n		ɲ		
Lateral										l		ʎ		
Vibrante simple										r				
Vibrante múltiple										r̄				

Vocales

	Anterior	Central	Posterior
Cerrada	i		u
Media	e		o
Abierta		a	

Cuadro de los fonemas del español

Consonantes

	Bilabial sor.	Bilabial son.	Labiodental sor.	Labiodental son.	Linguodental sor.	Linguodental son.	Linguointerdental sor.	Linguointerdental son.	Linguoalveolar sor.	Linguoalveolar son.	Linguopalatal sor.	Linguopalatal son.	Linguovelar sor.	Linguovelar son.
Oclusiva	p	b			t	d					c		k	g
Fricativa		β	f				θ	ð	s	r̝ s̬		ŷ	x	ɣ
Africada											ĉ			
Nasal		m		ɱ		n̪		n̟		n		ṇ ɲ		ŋ
Lateral						ļ		l̟		l		ʎ		
Vibrante simple										r				
Vibrante múltiple										r̄				

Vocales

	Anterior	Central	Posterior
Semiconsonante	j		w
Semivocal	i̯		u̯
Cerrada	i		u
Media	e		o
Abierta		a	

Cuadro de los sonidos del español

Cuadro de los sonidos del inglés

Consonantes

	Bilabial sor.	Bilabial son.	Labiodental sor.	Labiodental son.	Linguodental sor.	Linguodental son.	Linguointerdental sor.	Linguointerdental son.	Linguoalveolar sor.	Linguoalveolar son.	Linguopalatal sor.	Linguopalatal son.	Linguovelar sor.	Linguovelar son.	Glotal sor.	Glotal son.
Oclusiva	p	b			(t)	(d)			t	d	c	ɟ	k	g		
Africada												(ʧ)				
Nasal		m								n		(ɲ)		ŋ		
Lateral										l		(ʎ)		ɫ		
Vibrante simple										(ɾ)						
Vibrante múltiple										(ɼ)						
Fricativa		(β)	f	v			θ	ð	s	z	ʃ	ʒ	(x)	(ɣ)	h	
Semiconsonante		w										j				

Vocales

	Anterior	Central	Posterior
Cerrada	(i:) / i		(u:) / u
Medio-cerrada	e	ə:	o
Medio-abierta	(ε)	(ə)	(ɔ:)
Abierta	æ	ʌ / (a)	ɔ / ɒ

Cuadro de los sonidos del inglés (según JONES). Los signos encerrados en un círculo pertenecen a los sonidos españoles que no existen en inglés

FONÉTICA Y FONOLOGÍA

I

FONÉTICA Y FONOLOGÍA

1.1. FONÉTICA Y FONOLOGÍA

1.1.0. El lingüista suizo FERDINAND DE SAUSSURE [1] distinguió en el conjunto que conocemos con el nombre de *lenguaje* dos aspectos fundamentales: la *lengua* y el *habla*.

La *lengua* es un modelo general y constante que existe en la conciencia de todos los miembros de una comunidad lingüística determinada. Es el sistema supraindividual, una abstracción que determina el proceso de comunicación humana.

El *habla* es la realización concreta de la lengua en un momento y en un lugar determinados en cada uno de los miembros de esa comunidad lingüística.

La *lengua,* por lo tanto, es un fenómeno social, mientras que el *habla* es individual.

Cuando dos individuos hablan, comunicándose sus pensamientos, sus ideas, comprendiéndose entre sí, es porque existe algo común a ellos y que está en un plano superior a ellos mismos; es decir, se entienden porque existe la *lengua,* el modelo lingüístico común a los dos, el sistema que establece ciertas reglas a las que se someten cuando hablan; y en el momento que expresan sus ideas oralmente, están realizando, materializando la lengua en cada uno de ellos, están practicando un acto de *habla.*

---

[1] FERDINAND DE SAUSSURE: *Curso de lingüística general.* Traducción, prólogo y notas de AMADO ALONSO, Buenos Aires, 2.ª ed., 1955.

Ahora bien, el plano de la *lengua* y el plano del *habla* se suponen recíprocamente: sin actos concretos de habla, la lengua no existiría, y los actos concretos de habla no servirían para la comunicación, para entenderse, si no existiese la lengua, que establece las normas por las que ha de regirse el habla. Los dos planos están unidos inseparablemente y constituyen los dos aspectos del fenómeno conocido con el nombre de *lenguaje*.

LENGUAJE { LENGUA: modelo general y constante para *todos* los miembros de una colectividad lingüística. HABLA: materialización de ese modelo en *cada* miembro de la colectividad lingüística.

También debemos tener en cuenta que todo lo que pertenece al lenguaje, es decir, tanto al plano de la lengua como al del habla, tiene dos facetas: el *significante* (la expresión) y el *significado* (el contenido, el concepto, la idea): ambos constituyen el *signo lingüístico*. Es decir:

significante + *significado* = *signo lingüístico*

Un signo lingüístico como *mesa* está formado por un *significante,* que sería: / m + é + s + a /, es decir, por la suma de unos elementos fónicos [2] y por un *significado,* que sería la idea o el concepto que nosotros tenemos de lo que es una *mesa*.

Cada una de estas dos facetas del signo lingüístico tiene su función en el plano de la lengua y en el plano del habla.

El *significado* en el plano del habla es siempre una comunicación concreta, que tiene sentido únicamente en su totalidad. En el plano de la lengua, por el contrario, está representado por reglas abstractas (sintácticas, fraseológicas, morfológicas y lexicales).

---

[2] *Sonidos* o *fonemas,* según el plano, el nivel en el que se haga el análisis, como ya veremos más adelante.

El *significante,* en el plano del habla, es una corriente sonora concreta, un fenómeno físico capaz de ser percibido por el oído. En el plano de la lengua, es un sistema de reglas que ordenan el aspecto fónico del plano del habla. El significado en la lengua consiste, pues, en un número limitado, finito de unidades, mientras que en el habla el número de unidades es infinito, ilimitado. Del mismo modo, el significante en el habla representa un número infinito de realizaciones articulatorias, pero en la lengua, sin embargo, este número es finito.

1.1.1. A nosotros nos interesa en este momento la faceta del significante, o lo que también podríamos llamar, en términos generales, el aspecto fónico del signo lingüístico.

Cuando el hombre habla emite sonidos; pero hay que tener presente que los sonidos no son realizados de igual manera por todos los individuos de una misma colectividad, y que no todos los sonidos tienen en todo momento el mismo lugar articulatorio, sino que muchas veces se encuentran modificados por el contexto fónico que los rodea. Así, por ejemplo, un sonido como la oclusiva velar sorda [k] tendrá una posición articulatoria más posterior, más hacia el velo del paladar, cuando a esta consonante siga una vocal posterior [u], como en la palabra [kúna] *cuna;* si, por el contrario, en vez de seguir una vocal posterior, sigue una vocal anterior [i], el lugar que ocupa la lengua al articular la [k] es mucho más anterior, más hacia el paladar duro, como en [kílo] *quilo;* y una posición intermedia entre las dos aparecerá cuando vaya seguida de una vocal central baja [a], como en [kása] *casa.* A pesar de estas diferencias de lugar articulatorio, al oído español medio siempre le parece percibir el mismo tipo de sonido, una /k/ y que esta /k/, para la función comunicativa, inteligible, de la lengua, y aun para la intención del hablante, está por encima de todos los otros matices.

Otro ejemplo: en español existe un trío de consonantes que requieren para su emisión un cierre completo de dos órganos articulatorios, y que las cuerdas vocales no vibren (oclusivas sordas):

p t k

y junto a él, otro que difiere del anterior sólo porque vibran las cuerdas vocales (oclusivas sonoras):

b d g

Ahora bien, estas sonoras [b, d, g] en unas condiciones fonéticas determinadas, como veremos más adelante (en el capítulo VII), se realizan como oclusivas, es decir, formando un cierre completo de los órganos articulatorios, como en [kómba] *comba*, [dóṇde] *dónde*, [úŋgaro] *húngaro*, etc.; pero en otros contextos fonéticos se realizan como fricativas, es decir, con los órganos articulatorios medio cerrados, como en [lóβo] *lobo*, [lóðo] *lodo*, [láɣo] *lago*. Tanto la realización oclusiva [b, d, g] como la fricativa [β, ð, ɣ] son percibidas por un oído medio casi de la misma forma; es más, en una palabra como [báso] *vaso*, la consonante inicial [b] se puede realizar como fricativa en un contexto determinado, [el βáso] *el vaso*, por ejemplo, y como oclusiva en otro, [úm báso] *un vaso*, sin que por ello varíe la significación de la palabra *vaso*. De aquí se deduce que en español, para la comunicación, para la estructura de su sistema consonántico, lo que interesa es una consonante tipo, una consonante modelo, como /b/.

Como vemos, estas diferencias no llevan consigo un cambio de sigificado; pero si en una palabra como /kápa/ *capa* sustituimos la /p/ (oclusiva bilabial sorda) por la /b/ (oclusiva bilabial sonora), el resultado es bien diferente /kába/ *cava;* y si la sustituimos por la /m/ (oclusiva bilabial nasal), resulta /káma/ *cama;* las diferencias de significado que se han introducido al variar un pequeño rasgo —sonoro por sordo en el primer caso: /kápa/-/kába/; oral por nasal, en el segundo: /kába/-/kama/— son bastante notables.

Por los ejemplos anteriormente expuestos, podemos ver claramente la función del significante en uno y otro planos: en el plano del habla, el significante se ocupará de estudiar detalladamente la realización articulatoria y acústica de los sonidos que constituyen una lengua dada, mientras que en el plano de la lengua estudiará aquellos "sonidos" que tienen un valor diferenciador, distintivo en cuanto al significado. Del estudio del significante en el habla se ocupará la *Fonética,* mientras que del estudio del significante en la lengua se ocupará la *Fonología* [3]. Los elementos fónicos que estudia la fonética son los *sonidos,* y los elementos fónicos que estudia la fonología son los *fonemas*:

SIGNIFICANTE
{ en el HABLA: fenómeno físico perceptible por el oído.
en la LENGUA: reglas que ordenan el aspecto fónico del acto de habla.

SIGNIFICANTE
{ Lengua —→ Fonología —→ fonemas.
Habla —→ Fonética —→ sonidos.

1.1.2.　Algunos lingüistas han pretendido hacer de la Fonética y de la Fonología ciencias independientes y tratarlas por separado. Hoy se vuelve a ver en estos dos aspectos fónicos del lenguaje un núcleo, una montaña con dos vertientes inseparables que requieren un mutuo apoyo para su existencia útil y definitiva. El desarrollar solamente la Fonética de una lengua no tiene el mismo alcance ni extensión que cuando se desenvuelve con miras a la función que esos símbolos desempeñan en el sistema de la lengua. El pretender describir solamente el aspecto fonológico de una lengua sin tener para nada en cuenta el fonético, es absurdo, y más que esto, un imposible. El valor y desarrollo de la Fonología y de la Fonética se condicionan mutuamente. De ahí que algunos

---

[3]　También llamada *Fonemática* o *Fonémica.*

lingüistas hayan otorgado a la Fonología la denominación de *Fonética Funcional.*

1.1.3. En lo que concierne a la enseñanza de la pronunciación de una lengua hay que tener en cuenta los dos niveles: el fonológico y el fonético. Es totalmente imprescindible comenzar describiendo, en cada apartado, el valor fonológico de los sonidos que debemos analizar después; de otro modo, el alumno tardará en darse cuenta, o no se dará cuenta nunca, de la función que tienen en el plano de la lengua, con la inmediata consecuencia de no llegar a valorar el nuevo sistema fónico que intenta aprender. Estudiado el nivel fonológico, es necesario descender al fonético y en él describir las realizaciones de los sonidos y corregir los defectos que a la lengua en aprendizaje traigan de la materna. De este modo se jerarquizan y se utilizan al máximo las dos funciones del significante [4].

1.2. RASGOS FUNCIONALES O PERTINENTES Y RASGOS NO FUNCIONALES O NO PERTINENTES

Como hemos visto por los ejemplos citados en el epígrafe anterior, los sonidos de una lengua pueden sufrir variaciones o modificaciones sin que varíe para nada su valor significativo, como en el caso, por ejemplo, del sonido [b], que se realiza como fricativo en el contexto [el βóte] *el bote,* pero como oclusivo en [úm bóte] *un bote,* sin que esta diferencia —*fricación/oclusión*— conlleve un cambio en el significado de la palabra *bote.* Este rasgo es *no funcional* o *no pertinente.*

---

[4] De otro modo no se concibe este estudio. ¿De qué sirve, por ejemplo, decir que la *i* de *bien* es semiconsonante, la de *peine* semivocal, la de *viña* cerrada, la de *obispo* abierta, la de *niño* nasal, la de *admirable* relajada, si no se indica primero el valor que esa *i* tiene en el plano de la lengua?

Por el contrario, existe en una lengua todo un gran conjunto de sonidos en los que al variar un rasgo determinado, varía radicalmente su significado; por ejemplo, en la palabra [póka] *poca,* el primer sonido es una oclusiva bilabial sorda [5], [p]; si en esta consonante se varía el factor de la vibración de las cuerdas vocales, es decir, se hacen vibrar, la oclusiva bilabial sorda se convierte en una oclusiva bilabial *sonora,* [b], resultando de este cambio una palabra con significación totalmente diferente: [bóka] *boca;* en este caso, el paso de *sorda* a *sonora* lleva consigo un cambio de significado, diciéndose entonces que ese rasgo de sonoridad es *pertinente* o *funcional.*

1.3. FONEMA

La unidad fonológica más pequeña en que puede dividirse un conjunto fónico recibe el nombre de fonema. Una palabra, como, por ejemplo, /páso/ *paso,* está formada por una serie de cuatro fonemas, ya que el máximo de unidades mínimas en que puede ser dividida es /p/ + /a/ + /s/ + /o/, sin que podamos fragmentar cada uno de estos fonemas en elementos más pequeños; tanto la /p/, como la /a/, como la /s/, como la /o/ son unidades completamente indivisibles.

1.4. ALÓFONO

Según se ha visto, un fonema puede tener diferentes realizaciones fonéticas, de acuerdo con el contexto en que se halle situado. En español existe, por ejemplo, un fonema nasal /n/ que se articula por medio del contacto del ápice de la lengua con los alvéolos. Este fonema puede presentar diferentes realizaciones al articularlo: si le sigue una vocal, por

---

[5] Véase el § 3.4.2.

ejemplo, su articulación sigue estando en los alvéolos: [ána]
Ana; si le sigue una consonante linguodental, se dentaliza,
cambiando su lugar de articulación desde la zona alveolar a la
dental, por asimilación [6]: [dóṇde] *dónde;* si antecede a una
consonante linguointerdental (que se articula con el ápice de
la lengua entre los incisivos), cambia también su lugar de
articulación desde los alvéolos a la zona interdental: [óṇθe]
once; si le sigue una labiodental también se labiodentaliza:
[eɱférmo] *enfermo;* si le sigue una consonante bilabial, se
bilabializa: [úmbáso] *un vaso;* si le sigue una consonante
linguopalatal, se palataliza: [póɲce] *ponche;* y por último,
si antecede a una consonante que se articule por el contacto
que se establece entre el postdorso de la lengua y el velo del
paladar, su articulación se modifica tremendamente, pasando desde los alvéolos a ocupar una posición velar: [óŋgo]
hongo. De esta manera, un solo fonema /n/, según las modificaciones que sufre por la acción de los sonidos que lo rodean, puede variar su lugar de articulación sin que por ello
cambie el valor significativo de la palabra. Estos sonidos nuevos que resultan reciben el nombre de *alófonos* o *variantes
combinatorias.*

Otro ejemplo: el inglés tiene un fonema /p/, que cuando se encuentra en posición inicial de palabra se pronuncia
como [pʰ], es decir, seguido de una aspiración, como en *pill,*
pero se pronuncia como [p], sin esa aspiración, en *spill.* Las
realizaciones [p] y [pʰ] dependen del contorno en que se
encuentren situadas, pero el uso de una u otra no implica
un cambio de significación. [p] y [pʰ] son *alófonos* del fonema /p/.

---

[6] Recibe el nombre de *asimilación* la acción por la cual dos sonidos,
por estar contiguos, tienden a adquirir caracteres comunes o incluso a hacerse idénticos.

Resumiendo los ejemplos antes expuestos, tendríamos [7]:

FONEMA	ALÓFONOS
/n/	[n] como en [lána] *lana* [n̪] como en [dón̪de] *donde* [n̪] como en [ón̪θe] *once* [m] como en [úmbáso] *un vaso* [ɱ] como en [eɱférmo] *enfermo* [ɲ] como en [póɲce] *ponche* [ŋ] como en [óŋgo] *hongo*
/p/	[p] como en [spil] *spill* [pʰ] como en [pʰil] *pill*

1.5. DISTRIBUCIÓN COMPLEMENTARIA Y DISTRIBUCIÓN LIBRE

Hablamos de *distribución complementaria* cuando los alófonos de un determinado fonema aparecen en unas posiciones concretas y no en otras. Por ejemplo, en español, los fonemas /b, d, g/ conocen unos alófonos oclusivos [b, d, g] que se realizan como tales después de pausa, después de consonante nasal, y en el caso de [d] también después de consonante lateral; y otros alófonos fricativos [β, ð, ɣ] que se producen en los demás contornos. Es decir, que en un contorno donde se da [b], no aparece normalmente [β], como por ejemplo en español [éseβárko] *ese barco,* frente a [úmbárko] *un barco,* en cuyo contorno después de [m] (*n* ortográfica) [b] excluye a [β]; otro ejemplo: [éseðéðo] *ese dedo,* frente a [úndéðo] *un dedo,* y frente a [eldéðo] *el dedo,* o sea que después de [n, l] el alófono [d] excluye a [ð]; y viceversa, entre vocales los alófonos [β, ð] excluyen normalmente a [b, d].

---

[7] Los fonemas se representan siempre entre barras oblicuas, //, y los alófonos, entre corchetes, []. La transcripción fonológica de una frase se realizará siempre entre barras oblicuas, y la fonética, entre corchetes.

Por el contrario, la *distribución libre* no implica que en una posición determinada se encuentre normalmente un solo alófono, sino que pueden concurrir en ese mismo contorno todos los alófonos que posea un determinado fonema. Por ejemplo, en español el archifonema /R/ final de palabra o de sílaba, resultante de la neutralización de /r/ y /r̄/, es un caso de distribución libre, ya que puede realizarse como [r], [r̄] o [ɹ], sin que por ello varíe la significación de la palabra; es decir, que en esa posición pueden aparecer cualesquiera de los tres alófonos mencionados.

1.6. Oposición

Para proceder a la identificación de los fonemas de una lengua es necesario emplear el procedimiento de la *conmutación* sucesiva, es decir, sustituir cada uno de los fonemas de una palabra por otros con el fin de encontrar diferencias en su significado.

La relación que existe entre dos fonemas conmutables recibe el nombre de *oposición*. Teóricamente sería necesario conmutar todos los fonemas de una lengua para realizar su inventario fonológico, pero en la práctica es suficiente con conmutar los fonemas que ofrecen características similares.

Por ejemplo: /póka/ *poca* se distingue de /bóka/ *boca,* porque /p/ se opone a /b/, ya que

/p/ es *oclusiva* (cierre completo de los órganos articulatorios),
   bilabial (los dos labios forman el cierre),
   sorda (las cuerdas vocales no vibran),

y

/b/ es *oclusiva* (como la anterior),
   bilabial (como la anterior),
   sonora (las cuerdas vocales vibran: diferente de la anterior).

Es decir, estos dos fonemas presentan dos rasgos iguales (el de oclusión y el de bilabialidad), diferenciándose sólo por el rasgo de sonoridad (/p/ sorda, /b/ sonora), que es el que crea la oposición.

En inglés, /sip/ *sip*, se opone a /zip/ *zip*, porque la primera, /s/, es sorda, y la segunda /z/, sonora; luego /s/ y /z/ forman en inglés una oposición.

1.7. NEUTRALIZACIÓN

Cuando en ciertas posiciones dos fonemas pierden su función distintiva se dice que se neutralizan.

En español, por ejemplo, la distinción entre la vibrante simple /r/ *r* y la vibrante múltiple /r̄/ *rr* implica una diferenciación significativa en posición interior de palabra: /péro/ - /pér̄o/ *pero - perro*, /kóro/ - /kór̄o/ *coro - corro*, etcétera; sin embargo, cuando una vibrante se encuentra en posición final de sílaba, queda neutralizada, ya que, cualquiera que sea su realización, la significación de la palabra no varía en absoluto; por ejemplo, en un infinitivo como /amár/ *amar* podemos emitir la vibrante final como una consonante simple, [r], diciendo [amár] o bien como una consonante múltiple, [r̄], [amár̄], o bien como una fricativa [ɹ], [amáɹ], sin que por ello cambie el significado de ese verbo. En esta posición final el valor distintivo r/r̄ queda anulado, neutralizado.

Cuando dos fonemas como los anteriormente indicados, quedan neutralizados, se pueden sustituir por un fonema que tenga como característica principal el rasgo común a ambos (en el caso mencionado, el rasgo de vibrante); este fonema resultante se conoce con el nombre de *archifonema,* y se suele representar por una letra mayúscula, /ʀ/.

1.8. EJERCICIO PRÁCTICO DE PRONUNCIACIÓN: Apéndice II, Ejercicio I.

II

PRODUCCIÓN DEL SONIDO ARTICULADO

2.0. Podemos clasificar el conjunto total de órganos que intervienen en la fonación en tres grupos bastante bien delimitados:

1. Cavidades infraglóticas u órgano respiratorio.
2. Cavidad laríngea u órgano fonador.
3. Cavidades supraglóticas.

2.1. CAVIDADES INFRAGLÓTICAS

Están formadas por los órganos propios de la respiración: pulmones, bronquios, tráquea. Los pulmones son los que presentan un papel más relevante. Su misión es doble: por un lado, fisiológica, en cuanto que son instrumento de la respiración con toda la serie de transformaciones bioquímicas que en ellos se originan; por otro, el de servir de proveedores de la cantidad de aire suficiente para que el acto de la fonación sea realizable.

Los pulmones tienen constantemente dos movimientos; el de *inspiración*, absorbiendo aire, y el de *espiración*, expulsándolo. Durante este segundo movimiento se puede producir el sonido articulado.

El aire contenido en los pulmones va a parar a los bronquios, y de aquí a la tráquea, órgano constituido por anillos cartilaginosos superpuestos que desemboca en la laringe.

2.2. CAVIDAD LARÍNGEA U ÓRGANO FONADOR

2.2.1. *Aspecto fisiológico.*—La cavidad laríngea está situada inmediatamente por encima de la tráquea, y constituida por una serie de cartílagos que envuelven las llamadas
cuerdas vocales.

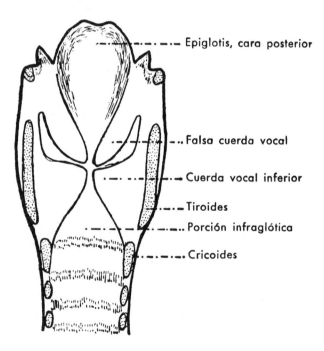

FIG. 1. Corte frontal de la laringe (segmento anterior del corte
visto por su cara posterior). (Según TESTUT.)

Las *cuerdas vocales* son dos tendones cuyo reborde inte
rior es algo más grueso (v. fig. 2). Están situadas horizontal-
mente en dirección anteroposterior. Por su parte anterior,

están unidas al *cartílago tiroides* (llamado también *nuez* o *bocado de Adán*), y por la posterior, a los dos *cartílagos aritenoides.*

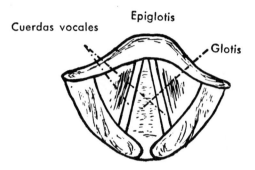

Fig. 2. Cuerdas vocales en actitud de reposo.
(Según Testut.)

El espacio vacío que queda entre las dos cuerdas vocales recibe el nombre de *glotis* (v. fig. 3).

2.2.2. *Aspecto fonético.*—Las cuerdas vocales son la sede de las dos primeras divisiones de todo el material fónico, así como también de dos de las propiedades constitutivas del sonido.

1) Si las cuerdas vocales se aproximan y comienzan a vibrar se origina el *sonido articulado sonoro.* Si, por el contrario, solamente se acercan, pero no vibran, se origina el *sonido articulado sordo.*

2) Dentro del grupo de los sonidos articulados sonoros hay que hacer una distinción entre el *sonido vocálico* y el *sonido consonántico sonoro.*

En la formación del *sonido vocálico,* las cuerdas vocales están más tensas, las uniones en cada uno de los golpes vibratorios son más fuertes, más íntimos, y la *frecuencia* (número de vibraciones en una unidad de tiempo) también es mayor. El grado de abertura de la glotis es mínimo y, por lo tanto, también lo es el gasto de aire.

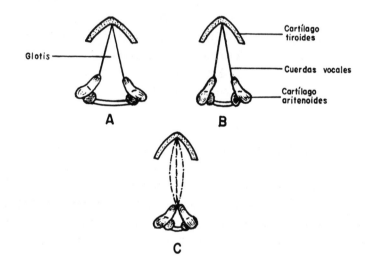

FIG. 3.   A. Cuerdas vocales durante la respiración.—B. Durante la emisión de una consonante sorda.—C. En vibración. Según TESTUT y STRAKA.

En la formación del *sonido consonántico sonoro,* las cuerdas vocales están menos tensas, las uniones en cada uno de los golpes vibratorios son menos fuertes, y la frecuencia, por lo tanto, es menor; el tono, más bajo. El grado de abertura de la glotis es mayor, y de esta manera también es mayor el gasto de aire. De ahí que estos sonidos tengan un ruido propio que se forma por el paso del aire a través de las cuerdas vocales, mayor que en los sonidos vocálicos.

3) La vibración de las cuerdas vocales provoca la formación de una onda sonora, que conocemos con el nombre de *tono fundamental*.

Esta onda así creada no es simple, sino compuesta, ya que el tono fundamental crea una serie de armónicos que se le superponen. La onda compuesta formada en la laringe pasa a las cavidades supraglóticas; éstas actúan como filtros que sólo dejan pasar las frecuencias que coinciden con estas cavidades de resonancia. Este conjunto formado por el tono fundamental más los armónicos filtrados constituye el *timbre* del sonido.

4) En la laringe se encuentra también el origen de otra propiedad del sonido articulado, la *intensidad* de la voz. El aire contenido en las cavidades infraglóticas puede ser impulsado con una mayor o menor energía hacia las cuerdas vocales; la presión del aire sobre ellas determina una mayor o menor amplitud vibratoria, que es la causante de la intensidad del sonido.

Como vemos, de los cuatro elementos constitutivos del sonido —*tono, timbre, intensidad* y *duración*— los tres primeros tienen su origen en la laringe.

Las cuerdas vocales adoptan diferentes posiciones durante la producción del sonido articulado; la posición durante la respiración normal es la que corresponde a la A de la figura 3; cuando se emite una consonante sorda se aproximan algo más: posición B de la misma figura; y se juntan totalmente para la emisión de un sonido sonoro —vocálico o consonántico—: posición C.

2.3. CAVIDADES SUPRAGLÓTICAS

Al pasar la corriente de aire (vibrando o no, según haya sido la actuación de las cuerdas vocales) por la zona laríngea, entra en la región laringofaríngea, y desde aquí a la faringe oral, donde se va a producir otra gran división del material fónico.

Si el velo del paladar está adherido a la pared faríngea, el aire fonador sale solamente a través de la cavidad bucal, dando origen a los *sonidos articulados orales,* como [p, b, s, k], etc.

Si el velo del paladar desciende, está separado de la pared faríngea, el aire fonador sale a través de la cavidad nasal solamente (los órganos de la cavidad bucal están cerrados), produciéndose los *sonidos consonánticos nasales,* como [m, n, ɲ].

Si están abiertas simultáneamente la cavidad bucal y la cavidad nasal, se originan los *sonidos vocálicos nasales,* o mejor los *sonidos oronasales,* como la [ã] de [mãno] *mano,* la [ẽ] de [nẽne] *nene,* etc.

Conducto nasal cerrado (velo del paladar levantado)... } Sonidos orales.

Conducto nasal abierto (velo del paladar caído) ... {

órganos bucales cerrados... ... ... } Sonidos nasales (consonantes)

órganos bucales abiertos... ... ... } Sonidos oronasales (vocales).

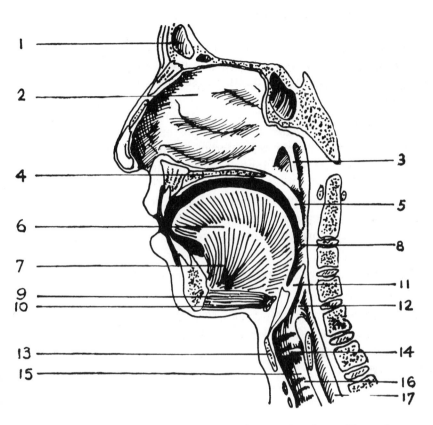

Fig. 4. Corte vertical de los órganos fonadores. (Testut.)

1. Seno frontal.	9. Músculo geniohioideo.
2. Cavidad nasal.	10. Hueso hioides.
3. Faringe nasal.	11. Epiglotis.
4. Paladar duro.	12. Faringe laríngea.
5. Paladar blando.	13. Cartílago tiroides.
6. Lengua.	14. Cuerdas vocales.
7. Músculo geniogloso.	15. Cavidad laríngea.
8. Faringe oral.	16. Tráquea.
	17. Esófago.

Cuando el sonido es oral, la única gran cavidad que encontramos es la bucal. Al poder cambiar fácilmente, gracias a la movilidad de la lengua, el volumen y la forma de la cavidad bucal, se origina la más variada gama de timbres; estos timbres dan lugar a los distintos sonidos articulados. La parte superior de la cavidad bucal está constituida por el *paladar,* dividido en dos zonas: la anterior, ósea, conocida con el nombre de *paladar duro,* y la posterior, con el nombre de *paladar blando o velo del paladar.* La parte inferior de la boca está ocupada por la lengua, órgano activo por excelencia (v. fig. 4).

Con el objeto de poder fijar el lugar de articulación de cada sonido, es necesario señalar unas zonas en cada uno de los órganos anteriormente mencionados.

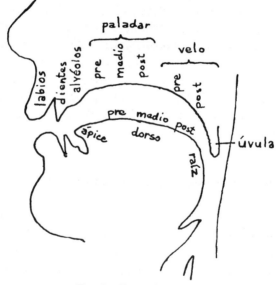

FIG. 5.   Zonas bucales.

El *paladar duro* comenzaría inmediatamente por detrás de los *alvéolos* (v. fig. 5), y quedaría dividido en *prepaladar, mediopaladar* y *postpaladar.*

El *paladar blando* o *velo del paladar,* dividido en dos zonas: *zona prevelar* y *postvelar.*

La *lengua,* el órgano más móvil, quedaría dividida en su cara superior, *dorso* en *predorso, mediodorso* y *postdorso.*

Cerrando la cavidad bucal por su parte anterior encontramos, en primer lugar, los dientes superiores, *incisivos superiores,* y los inferiores, *incisivos inferiores.* Entre los incisivos superiores y el comienzo del paladar duro existe una zona de transición conocida con el nombre de *alvéolos.* Y como últimos órganos que cierran la cavidad bucal, y que por su extraordinaria movilidad pueden cambiar fácilmente su volumen, modificando, por consiguiente, el timbre del sonido, se encuentran los *labios* (superior e inferior).

Los adjetivos correspondientes a los sustantivos que designan estas zonas de articulación son los siguientes: de dientes, *dental;* de labios, *labial;* de alvéolos, *alveolar;* de paladar duro, *palatal* (*prepalatal, mediopalatal, postpalatal*); de paladar blando o velo del paladar, *velar* (*prevelar, postvelar*); de ápice, *apical;* de dorso, *dorsal* (*predorsal, mediodorsal, postdorsal*); de raíz, *radical;* de úvula, *uvular;* de laringe, *laríngeo* (*-a*), *laringal;* de glotis, *glótico* (*-a*), *glotal;* de faringe, *faríngeo* (*-a*), *faringal.*

2.4. PRIMER MOTOR DEL SONIDO ARTICULADO

La producción del sonido articulado se debe primordialmente a una causa psíquica, intencional, previa a todo otro movimiento orgánico. Cuando queremos emitir un sonido, el cerebro, desde su centro nervioso, envía un impulso neuromotriz a través del nervio llamado *recurrente.* Este nervio, considerándolo bajo un punto de vista muy simplificado, tiene sus terminaciones en el diafragma y en las cuerdas vocales. El *nervio recurrente* por un lado actúa sobre el *diafragma,* comprimiéndolo sobre los pulmones, que envían de esta manera el aire necesario para la fonación, y por otro lado, actúa sobre las cuerdas vocales, haciendo que se estrechen más o menos, o que se junten totalmente y comiencen a vibrar.

2.5. EJERCICIO PRÁCTICO DE PRONUNCIACIÓN: Apéndice II, Ejercicio II.

III

CLASIFICACIÓN DE LOS SONIDOS DEL LENGUAJE

3.1. POR LA ACCIÓN DE LAS CUERDAS VOCALES

Como hemos visto en el capítulo anterior, según vibren o no las cuerdas vocales, todo el material fónico se clasifica en *sonidos articulados sonoros* y *sonidos articulados sordos*. Entre los primeros se encuentran todas las vocales y muchas consonantes, como por ejemplo, [b, d, g, l, m, n], etc. Los segundos, los sordos, sólo se producen en español dentro de los sonidos consonánticos, como, por ejemplo [p, t, k, s, f], etc.

A una consonante normalmente sonora, que por asimilación pierde parte de su sonoridad, se le llama *ensordecida;* y, a la inversa, una consonante sorda puede adquirir cierto grado de sonoridad, que la convierte en *sonorizada.*

3.2. VOCALES Y CONSONANTES

Esta clasificación, que tiene su origen en las descripciones gramaticales griegas, ha prevalecido hasta nuestros días. La separación en dos grupos —*vocal* y *consonante*— de todo el material fónico ha sido muy criticada, alegando la mayoría de los lingüistas que no tenía existencia real, que no estaba basada en fundamentos fisiológicos auténticos, y que, por lo tanto, habría que desterrarla, a no ser que la conservásemos, por cómoda o por práctica, desde un punto de vista pedagógico.

Los enemigos de la clasificación tradicional entre vocal y consonante consideraban los sonidos articulados dentro de una serie cuyas diferencias serían solamente los diversos grados de abertura o cerrazón, teniendo también en cuenta la proporción en que estaban presentes los tres elementos de *fricción, sonoridad* y *resonancia*: compárese el sonido [a], que tiene sonoridad, un maximum de resonancia y fricción casi inexistente, con el sonido [s], que ofrece un maximum de fricción, poca resonancia y ninguna sonoridad. De esta manera colocaban en el extremo abierto de la cadena las vocales, y entre ellas la vocal [a] la primera, y en el extremo cerrado las consonantes oclusivas sordas:

	e i		b p
a		... ...	d t
	o u		g k

Aunque en realidad la diferencia en el grado de abertura exista, la clasificación entre vocal y consonante tiene un fundamento fisiológico tan importante que es necesario tenerlo en cuenta al considerar los hechos lingüísticos. Esta clasificación está apoyada en los siguientes hechos:

3.2.1. Son distintos los músculos que intervienen en la formación de unos y otros sonidos:

1) Para la producción de las vocales actúan los *músculos depresores,* que infieren en el maxilar inferior un movimiento de abertura. Estos músculos están ligados también con los linguales. De este modo, al descender el maxilar, la lengua también lo hace. Por ello, se han considerado los sonidos articulados vocálicos como los más abiertos.

2) Para la emisión de las consonantes actúan los *músculos elevadores.* Como los anteriores, infieren también un movimiento en el maxilar inferior, pero de sentido opuesto. Los músculos elevadores tienden hacia la cerrazón del maxilar,

y como también están en contacto con los linguales, proyectan la lengua hacia el paladar (duro o blando). Por ello, los sonidos consonánticos se consideran como los más cerrados.

3.2.2. Por la acción de las cuerdas vocales, como hemos visto, también existe una diferenciación entre *vocal* y *consonante sonora:*

1) Para la producción del sonido articulado vocálico, las cuerdas vocales presentan una mayor tensión, y un mayor número de vibraciones por unidad de tiempo, por lo que el tono fundamental de un sonido vocálico es siempre más alto que el de un sonido consonántico.

2) Para la producción del sonido articulado consonántico sonoro, las cuerdas vocales presentan una tensión más pequeña, vibrando un número menor de veces por unidad de tiempo; de ahí que tengan un tono fundamental bajo. Por muy alto que sea el tono de una consonante sonora (por ejemplo el de [l, m, n]) nunca llega al nivel del tono fundamental de una vocal.

Estas diferencias fisiológicas se manifiestan claramente en los resultados acústicos.

3.3. POR LA ACCIÓN DEL VELO DEL PALADAR

Por la acción del velo del paladar los sonidos se clasifican en orales y nasales.

3.3.1. Los sonidos *orales* o *bucales* se producen cuando el velo del paladar se encuentra adherido a la pared faríngea, y entonces el aire sale solamente a través de la cavidad bucal; como, por ejemplo, [s, p, b], etc.

3.3.2. Los sonidos *nasales* se producen cuando el velo del paladar está separado de la pared faríngea, estando, por lo tanto, abierto el conducto nasal. Puede ocurrir:

1) que el velo del paladar se encuentre abierto, y la cavidad bucal totalmente cerrada, como para la emisión de

una [m], en cuyo caso el aire sale solamente a través de la cavidad nasal. Fíjense en que la emisión de una [b] y de una [m], por ejemplo, difieren únicamente en la acción del velo del paladar (v. figs. 6 y 7);

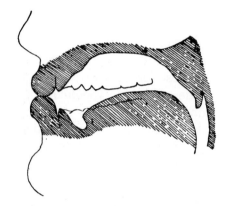

Fɪɢ. 6. Realización oclusiva del fonema /b/ de /koɴbáte/ *combate*.

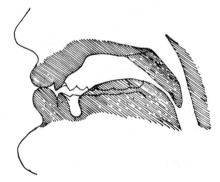

Fɪɢ. 7. Realización del fonema /m/ de /áma/ *ama*.

2) que el velo del paladar esté separado de la pared faríngea, pero que al mismo tiempo el conducto oral también

lo esté, como, por ejemplo, en la emisión de una vocal nasalizada [ẽ] de la palabra [umắnãmḗ̩te]; en este caso, es mejor dar a este tipo de sonidos vocálicos el nombre de *oronasales*.

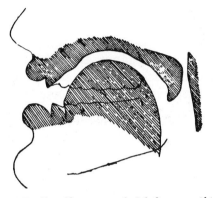

Fig. 8. Realización oronasal del fonema /é/ de
/umánaménte/ *humanamente*.

3.4. POR EL MODO DE ARTICULACIÓN

Se da el nombre de *modo de articulación* a la posición que adoptan los órganos articulatorios en cuanto a su grado de abertura o cerrazón. De esta manera, en un sentido general, encontraremos *sonidos abiertos*, como las vocales; *medio cerrados* o *continuos*, como algunas consonantes: [s, f, x], etc.; y *cerrados* o *interruptos*: [p, t, k, b], etc.

Con arreglo a este concepto, podemos dividir los sonidos articulados del siguiente modo:

3.4.1. Las VOCALES, como veremos más adelante, se dividen en *altas, medias* y *bajas*.

3.4.2. Las CONSONANTES, en:

1) *oclusivas*, cuando hay un cierre completo de los órganos articulatorios. También se llaman *explosivas* o *momen-*

táneas. Las oclusivas en algunas lenguas pueden ser *aspiradas.* Esto ocurre cuando la explosión se realiza con la glotis abierta, dando lugar a que se oiga netamente el ruido de la espiración entre la explosión de la consonante y el comienzo de la vocal siguiente. Las que se pronuncian con la glotis cerrada son *no aspiradas* o *puras,* como las españolas [p, t, k].

2) *fricativas,* cuando el sonido se forma a causa de un estrechamiento de dos órganos articulatorios, sin que éstos lleguen nunca a juntarse. También se denominan *espirantes, constrictivas* y *continuas:* [f, θ, s, x], etc.

3) *africadas* (también llamadas *semioclusivas*), cuando al cierre completo de dos órganos articulatorios sucede una pequeña abertura por donde se desliza el aire contenido en el primer momento de cierre, percibiéndose claramente la característica de fricación. Podemos decir que una consonante africada consta de dos momentos: un primer momento de oclusión seguido inmediatamente de otro de fricación, con la peculiaridad de que ambos movimientos se deben dar en el mismo lugar articulatorio. En algunas lenguas, como en el inglés, según veremos más adelante, son varias las consonantes que son susceptibles de ser africadas: [c, ɟ].

4) *nasales,* cuando la cavidad bucal está cerrada y el pasaje nasal abierto: [m, n, ɲ].

5) *líquidas.* Forman un gupo especial que comprende: a) *laterales,* en cuya emisión el aire sale por un lado, o por los dos, de la cavidad bucal [l, ʎ]; b) *vibrantes,* cuya característica es una o varias vibraciones del ápice de la lengua: [r, r̄].

3.5. Por el lugar de articulación

3.5.1. En cuanto a las vocales, como veremos más adelante, se les asignan los términos de *anterior, central* y *posterior.*

3.5.2. Las CONSONANTES, según los órganos que actúen, así como la zona donde incidan éstos, se pueden clasificar en:

1) *bilabiales:* [p, b, m, β]
2) *labiodentales:* [f, ɱ]
3) *linguodentales* o *dentales:* [t, d, ṇ, ḷ]
4) *linguointerdentales* o *interdentales:* [ð, θ, ṇ, ḷ]
5) *linguoalveolares* o *alveolares:* [s, n, r, r̄, l]
6) *linguopalatales* o *palatales:* [c, ɲ, ɟ, ʎ, ĵ]
7) *linguovelares* o *velares:* [k, g, x, ɣ, ŋ]

3.6. DEFINICIÓN DE UNA CONSONANTE

Para definir una consonante se suele tener en cuenta: 1) el modo de articulación; 2) el lugar de articulación; 3) la acción de las cuerdas vocales; 4) la acción del velo del paladar. Así, por ejemplo, la consonante [p] de [páta] *pata,* es una *oclusiva, bilabial, sorda, oral;* la consonante [b] de [bóla] *bola,* es una *oclusiva, bilabial, sonora, oral;* la [m] de [másа] *masa,* es una *bilabial, sonora, nasal.*

3.7. FASES QUE INTEGRAN LA FORMACIÓN DE UN SONIDO

Para la formación y emisión de un sonido son necesarios determinados movimientos de los órganos articulatorios.

3.7.1. En un primer momento los órganos que se encuentran en posición de reposo, o en una posición determinada, comienzan a moverse con el fin de formar el sonido. Es una fase que podríamos llamar preparatoria o inicial, de formación; lingüísticamente recibe el nombre de *fase intensiva,* o simplemente, *intensión.*

3.7.2. Cuando los órganos articulatorios han concluido el paso de la formación del sonido, esto es, lo han formado, ocupando la posición pertinente y característica del mismo, en la que se mantiene por algún tiempo, sobreviene la *fase tensiva* o la *tensión*.

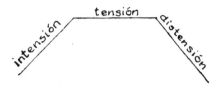

FIG. 9.   Fases de la formación de un sonido.

3.7.3. Y por último, cuando el sonido ya ha sido emitido, los órganos articulatorios abandonan la posición ocupada anteriormente para entrar en una fase de reposo, o para comenzar la formación de otro sonido, cuando el anterior ya se ha deshecho totalmente. Este tercer momento recibe el nombre de *distensión, o fase distensiva* (v. fig. 9).

La fase esencial de cualquier sonido es la tensiva; las otras dos son transiciones entre las posiciones características de los sonidos contiguos.

La intensión también recibe el nombre de *implosión* (ingl. *on-glide*, al. *Anglitt*). Asimismo, la distensión se denomina *explosión* (ingl. *off-glide*, al. *Abglitt*).

3.8.   INTEGRACIÓN DE LOS SONIDOS EN LA SÍLABA

Más adelante estudiaremos con mayor detenimiento la sílaba española; aquí sólo nos interesa dar unas nociones en cuanto a la reagrupación de los sonidos que la integran.

La constitución de la sílaba es similar a la del sonido: existe una fase inicial, un centro y una fase final. La rama inicial recibe el nombre de *explosiva*, y su configuración se realiza desde una cerrazón o estrechez hasta una abertura; el centro es el *núcleo silábico*, y reúne las propiedades de mayor abertura, mayor sonoridad, mayor perceptibilidad, etcétera. En español el núcleo silábico coincide siempre con una vocal. La fase final de la sílaba recibe el nombre de *implosiva*, y al contrario que la inicial, tiende desde la abertura hasta la cerrazón.

Los fonemas o los sonidos que se encuentran antes del núcleo silábico están en *posición explosiva* o en *posición silábica prenuclear;* son, por lo tanto, *explosivos* o *prenucleares.*

Los fonemas o los sonidos que se encuentran después del núcleo silábico están en *posición implosiva* o en *posición silábica postnuclear;* son, por lo tanto, *implosivos* o *postnucleares.*

Así, por ejemplo, una sílaba como *tres* está formada por una fase inicial [tr] que comienza con el cierre de una oclusiva dental sorda y continúa hacia una mayor abertura en la vibrante simple [r]. El momento máximo de audibilidad, sonoridad y abertura, se produce en la vocal [é], y desde este punto se reduce la abertura, hasta un estrechamiento en la fricativa sorda [s], que se encuentra en la rama implosiva de la sílaba (véase fig. 10).

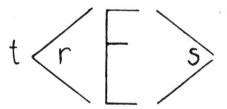

Fig. 10. Integración de los sonidos en la sílaba.

En el ejemplo dado, [tr] son prenucleares, o explosivos, mientras que [s] es postnuclear o implosivo.

3.9. BASE DE ARTICULACIÓN

Se llama *base de articulación* al conjunto de hábitos articulatorios que dan carácter propio y que afectan a todas las articulaciones de un idioma. Estos hábitos de articulación no sólo se reflejan en la pronunciación del idioma, sino que influyen en la dirección que han de tomar los desarrollos diacrónicos del mismo.

Entre las lenguas europeas el francés y el inglés ofrecen el ejemplo de dos lenguas cuyas bases de articulación son totalmente opuestas. Así, el francés posee una base *tensa* (fr. *mode tendu*) frente a la base *relajada* del inglés, lo que quiere decir que el francés articula con gran energía articulatoria. Resultados de esta tensión son las vocales puras, la falta de africación en las consonantes, el tono relativamente estable de la sílaba, el ritmo monosilábico, etc., todos opuestos a los del inglés. También se caracteriza el francés por una base *anterior,* frente a la base *posterior* del inglés. Las resonancias de los sonidos franceses tienden a ser anteriores, manteniéndose la punta de la lengua baja y el dorso en forma convexa, con redondeamiento de labios bastante frecuente, mientras que el inglés favorece las resonancias posteriores; y finalmente, se considera que el francés posee una base *creciente* (fr. *mode croissant*) frente a la base *decreciente* del inglés. Esto significa que en vez de hacer el esfuerzo articulatorio al principio de la sílaba, sobreviniendo seguidamente una relajación como ocurre con el inglés, el esfuerzo en el francés empieza suavemente y aumenta progresivamente. Esto favorece las sílabas abiertas y hace que el francés tenga más tendencia a anticipar la vocal y no la consonante.

Si se comparan las bases de articulación del español y del inglés, se ve que ofrecen diferencias notables. Si bien el español no llega al alto grado de tensión del francés, se acerca mucho a éste, y el movimiento de labios es bastante marcado. Prueba de ello es la pureza de las vocales, la falta de africación en las consonantes y el mantenimiento del timbre en las vocales inacentuadas.

El anglohablante deberá emplear una energía articulatoria relativamente elevada al producir los sonidos españoles. El español, como el francés, también tiene una base creciente, como lo indican la tendencia a la sílaba abierta y la anticipación vocálica. Esta base guarda estrecha relación con la base tensa, y requiere tensión articulatoria. En cuanto a las resonancias, la relativa frecuencia de articulaciones alveolares y palatales en el español, hacen que este idioma tenga una base central, ni tan anterior como el francés ni tan posterior como el inglés. Con relación a éste se percibe claramente que es más anterior, y como se verá más adelante, el anglosajón tiene que evitar ciertas resonancias velares del inglés al hablar español.

Para conseguir dominar la pronunciación de un idioma es imprescindible darse cuenta de la base de articulación. Según BERTIL MALMBERG, "el que desee aprender a pronunciar bien una lengua extranjera debe adquirir ante todo el dominio de un gran número de hábitos articulatorios nuevos (una nueva base de articulación). Debe acostumbrarse a articular los sonidos extranjeros exactamente como se hace en la lengua en cuestión y no debe continuar sirviéndose de los hábitos propios de su lengua materna. Es necesario no creer que se trata solamente de aprender algunos sonidos nuevos y utilizar para los demás los sonidos ya conocidos. Es todo un sistema de hábitos articulatorios, que comprende también la entonación y el empleo de los acentos espiratorios, el que será sustituido por algo nuevo" [1].

3.10. EJERCICIO PRÁCTICO DE PRONUNCIACIÓN: Apéndice II, Ejercicio III.

---

[1] *La Phonetique,* págs. 128-129.

ELEMENTOS ACÚSTICOS DEL SONIDO ARTICULADO

4.1. La *producción* de todo sonido se debe en su origen a un movimiento vibratorio causado por cualquier agente en un cuerpo que se encuentra en posición de reposo. Este sonido así producido se transmite a través del aire a una velocidad de 340 metros por segundo, en forma de ondas.

En el sistema fonador del hombre se puede originar el sonido: *a*) por la entrada en vibración de las cuerdas vocales; *b*) por un impulso de aire a través de los órganos articulatorios; *c*) por una combinación de ambos.

4.2. LA ONDA SONORA

Toda onda sonora puede ser:

a) *Simple,* cuando en su composición no interviene nada más que una onda, como las vibraciones del diapasón o del péndulo (v. fig. 12 y las dos ondas de la parte superior de la figura 13).

b) *Compuesta,* cuando interviene en su constitución más de una onda, como puede ser la de cualquier vocal (v. figuras 13, la onda de la parte inferior, y 14).

c) *Periódica* o *armónica,* cuando cada vibración *se repite* con la misma duración y amplitud a lo largo del tiempo (v. fig. 13).

d) *Aperiódica* o *inarmónica,* cuando *varían* las duraciones y amplitudes de cada vibración a lo largo del tiempo (véanse § 4.7. y figs. 15 y 16).

4.3. LA ONDA PERIÓDICA SIMPLE

Para concebir claramente los componentes acústicos de la onda sonora es conveniente recurrir a la onda periódica simple. En la figura 11 tenemos representado el esquema de un péndulo que está en continua oscilación, de tal manera que desde el punto *1* se desplazará al punto *2;* al llegar a este límite máximo, tenderá a volver a su primitivo estado, pasando por la posición *3;* pero como trae un empuje inicial, en este camino de regreso sobrepasará el punto *1* y alcanzará el *4* y el *5*, donde encontramos otro límite a su alejamiento de

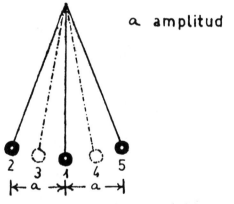

FIG. 11. Movimiento de un péndulo.

la posición *1;* de nuevo comenzará su camino de regreso hasta alcanzar el estado de reposo primitivo. Si no existiesen el roce del aire, la acción de la gravedad y toda otra serie de factores, el péndulo continuaría describiendo indefinidamente el movimiento *1-2-3-1-4-5-4-1*. De este modo, podemos deducir:

4.3.1. Recibe el nombre de CICLO, PERÍODO O VIBRACIÓN DOBLE, el camino descrito por el péndulo en una ida y vuelta completas. (*1-2-3-1-4-5-4-1* de la fig. 11; *1-2-3-4-5-6* de la figura 12; *0-1-2-3-4* de la fig. 13).

4.3.2. La AMPLITUD es la distancia desde la posición de reposo hasta el punto de máximo alejamiento alcanzado por el cuerpo (*a* de las figs. 11 y 13).

4.3.3. La FRECUENCIA de un sonido será el número de ciclos, períodos o vibraciones dobles por unidad de tiempo (el segundo). Así, decimos de un cuerpo que vibra a 1.000 c. p. s. (ciclos por segundo), 1.000 Hz (hertzios) ó 1 Khz (kilohertzio, múltiplo del hertzio).

4.4. Ahora bien, este movimiento oscilatorio se puede representar por una curva que llamamos sinusoidal. Si nos

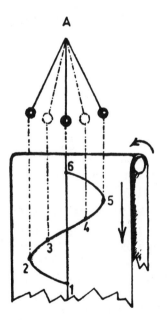

FIG. 12.   Movimiento armónico simple de un péndulo.

fijamos en la figura 12, veremos claramente que el movimiento pendular puede convertirse en una curva. Supongamos que por encima del punto *A* de apoyo del péndulo, a una distancia infinita, existe un foco, el sol, por ejemplo, que proyecta la sombra de la bolita sobre una pantalla que se va deslizando según el sentido de la flecha. En posición de reposo su sombra se proyectará sobre el punto *1* de la pantalla. Si a medida que el péndulo se va desplazando hacia la izquierda va corriendo también la pantalla, la trayectoria irá recorriendo la línea *1-2*, punto este último que corresponde al valor de la amplitud. Desde aquí el péndulo va retrocediendo hacia su antigua posición, iniciando también la curva el camino *2-3;* sobrepasa el punto de origen, pasa por el *4*, alcanza el *5*, que corresponde, como el *2*, a la proyección del punto máximo de alejamiento del centro (*amplitud*), hasta que llega al *6*, donde termina la vibración doble o ciclo.

4.5. LA ONDA COMPUESTA

En el lenguaje las ondas que se producen son siempre compuestas. Las cuerdas vocales producen en cada ciclo una onda compuesta, esto es, un tono fundamental acompañado de una rica serie de armónicos. Después, al pasar esta onda compuesta a la cavidad oral y atravesarla pierde los armónicos que no coinciden con las frecuencias de las cavidades bucales. La boca es un filtro que no deja pasar nada más que las frecuencias de los armónicos que coinciden con las de sus cavidades de resonancia.

La primera onda simple que se crea recibe el nombre de *fundamental*, y las otras que se superponen, múltiplos siempre de la fundamental, se llaman *armónicos*. Esto quiere decir que si la fundamental vibra a 100 c. p. s. la segunda onda tendrá una frecuencia de 200 c. p. s., la tercera de 300 c. p. s., la cuarta de 400 c. p. s., etc.

En la figura 13 se encuentran representadas tres ondas

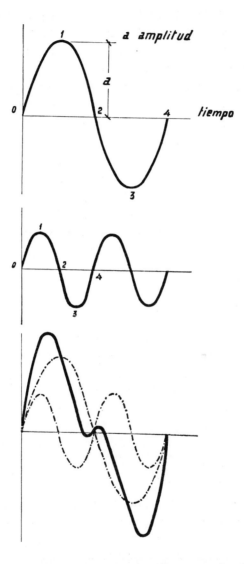

F<small>IG</small>. 13. Representación de tres ondas periódicas: las dos de la parte superior de la figura son simples, de 100 c. p. s. y de 200 c. p. s., respectivamente, la tercera, en la parte inferior de la figura, es compuesta: el resultado de la suma de las dos ondas simples.

periódicas: la primera (comenzando por la parte superior de la figura) es el primer armónico o armónico fundamental de un sonido que vibra a 100 c. p. s.; la segunda es el segundo armónico, que vibra a 200 c. p. s.; la tercera, en la parte inferior de la figura, es una onda compuesta (línea de trazo continuo), resultado de la suma de las dos ondas simples anteriores, representadas sobre ella por líneas de puntos.

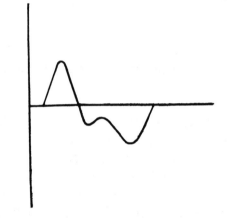

FIG. 14. Perfil típico de *u*, voz femenina. (Según GEMELLI.)

En la figura 14 tenemos el perfil típico y real de una vocal [u] correspondiente a una voz femenina. El fundamental de esta onda es de 430 c. p. s., y el segundo armónico de 860 ciclos por segundo. Los trazos de esta onda son distintos de los de la figura 13 porque existe un desplazamiento de fase entre las dos ondas: no comienzan al mismo tiempo, ya que lógicamente, en primer lugar se origina la fundamental, y luego el segundo armónico, que, como hemos dicho, es consecuencia del fundamental.

4.6. COMPONENTES ACÚSTICOS DEL SONIDO

Ahora podemos deducir los *componentes acústicos* del sonido articulado. Estos son:

4.6.1. Tono.—El tono, también llamado *primer armónico,* *armónico fundamental* o *tono fundamental,* es el resultado del número de vibraciones completas de las cuerdas vocales por unidad de tiempo (o lo que es lo mismo, de la frecuencia). Los cambios de frecuencia o de tono son los que reflejan en español las variaciones melódicas de la voz, la entonación.

4.6.2. Timbre.—El timbre es el resultado de la conformación de los armónicos en un sonido, conformación que depende del volumen y abertura de las cavidades de resonancia donde se produce.

4.6.3. Intensidad.—La intensidad depende de la amplitud de la vibración total, es decir, de la suma de las amplitudes de todos los armónicos. Cuanto mayor es la energía articulatoria que empleamos en la emisión de un sonido, mayor será la amplitud (separación máxima de las cuerdas vocales de su posición de reposo), y por lo tanto, la intensidad.

4.6.4. Duración.—La duración es el tiempo que empleamos en la emisión de un sonido. Se le llama también *cantidad.* La cantidad absoluta suele expresarse en centésimas de segundo.

4.7. Análisis espectrográfico del sonido

En los últimos años la fonética se ha servido de la espectrografía acústica para el análisis de los sonidos articulados. En las figuras 15 y 16 tenemos una serie de espectrogramas que representan la descomposición de las cinco vocales fonológicas españolas, /i, e, a, o, u/, en todos sus componentes acústicos.

El *timbre* del sonido viene dado por la posición de frecuencia que guardan sus formantes. Se designa con el nombre de *formantes* unas zonas de resonancia en las que se pone de relieve un conjunto determinado de armónicos. Para las vocales orales es suficiente la consideración de los dos primeros formantes.

El *primer formante* (F1) guarda una estrecha relación con la abertura del canal bucal: cuando la abertura es máxima, esto es, cuando la lengua está más separada del paladar, la frecuencia de dicho formante es la más elevada; por el contrario, si la lengua se va acercando más al paladar, la abertura vocálica decrece, y la frecuencia del formante también disminuye. Así, en los espectrogramas que acompañamos puede verse cómo el primer formante de la vocal [a] es el que tiene mayor altura, mayor frecuencia. Los de las vocales [e] y [o] tienen aproximadamente la misma frecuencia. Igual ocurre con los de la [i] y la [u]. Por tanto, podemos decir que el orden que siguen las vocales de mayor a menor frecuencia del primer formante es el siguiente: [a], [e, o], [i, u].

El *segundo formante* (F2) puede sufrir modificaciones por dos factores principales:

1) Por la posición de la lengua: cuanto más elevada se halle situada y más anterior sea su posición, más alta será su frecuencia; por el contrario, cuanto más posterior sea su situación y también más elevada, su frecuencia será menor. Mirando el espectrograma de la figura 15 nos damos cuenta del descenso del segundo formante desde la [i], en la que la posición de la lengua es la más elevada y la más anterior, hasta la [u], en la que la lengua ocupa la posición más posterior.

2) Cuanto más redondeados y más abocinados se encuentren los labios, más baja es la frecuencia del segundo formante.

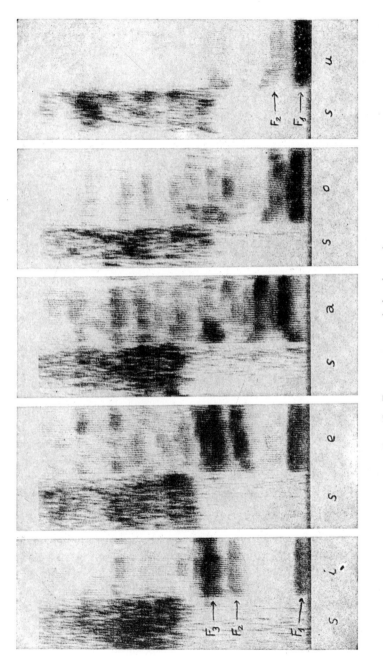

Fig. 15. Espectrograma de banda ancha.

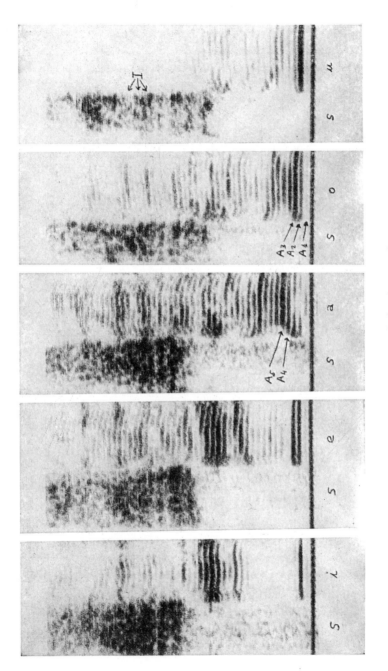

FIG. 16. Espectrograma de banda estrecha.

De estos dos apartados se puede deducir que cuanto más alargada sea la cavidad bucal más baja será la frecuencia del segundo formante. Los formantes más altos —a excepción del tercero, que desciende de frecuencia para la producción de la *r* americana— son producto del timbre individual de cada hablante.

El *tono* del sonido viene determinado, como ya dijimos, por el número de vibraciones en una unidad de tiempo (frecuencia). En la figura 16 está representada la descomposición de un sonido en su tono fundamental y en sus armónicos; así, (A1) será el tono fundamental o primer armónico, (A2) el segundo armónico, (A3) el tercero, (A4) el cuarto, etcétera. Como cada uno de. los armónicos es múltiplo del fundamental, puede observarse que la distancia que separa cada uno de ellos es la misma.

En las vocales vemos, pues, esta *armonicidad,* pero sin embargo, en las consonantes [s] que acompañan a cada una de estas sílabas aisladas no se produce esta armonía, reina un patente desorden en sus componentes. De ahí que podamos deducir que este tipo de consonantes sordas sean *inarmónicas* [1].

La frecuencia de los sonidos se mide sobre el eje de ordenadas.

La *cantidad* o *duración* se refleja en el eje de abscisas, y se expresa normalmente en centésimas de segundo (c. s.).

Y finalmente, la *intensidad* aparece en el espectrograma merced al negror más o menos acusado de los diferentes sonidos que integran la cadena hablada. En los espectrogramas que acompañamos viene a ser aproximadamente el mismo porque han sido emitidos con igual intensidad.

4.8. Ejercicio práctico de pronunciación: Apéndice II, Ejercicio IV.

---

[1] En la figura 16, la *I* situada sobre el espectrograma de la sílaba [su] indica los *inarmónicos.*

V

VOCALES

5.1. Características

Desde el punto de vista fonético, las vocales son los sonidos que presentan la mayor abertura de los órganos articulatorios, el mayor número de vibraciones de las cuerdas vocales en una unidad de tiempo (frecuencia), el máximo de hipertonos o armónicos, y, por lo tanto, la mayor musicalidad de entre todo el material fónico de nuestra lengua. Además, en español, la vocal es el único sonido capaz de constituir un núcleo silábico bien por sí misma, bien rodeada de otras consonantes, que forman los llamados márgenes silábicos.

Desde el punto de vista fonológico, en español, las vocales se oponen a las consonantes precisamente por su capacidad de formar núcleo silábico: vocal = núcleo silábico / consonante = margen silábico.

Lo más importante de la vocal es la formación de su timbre; éste constituye la característica más relevante y distintiva de cada vocal, y depende del resonador faríngeo y del bucal, condicionados por la posición que adoptan los órganos articulatorios. Si la lengua presenta una posición anterior y próxima al paladar duro, como muestra, por ejemplo, el esquema de la figura 17, la cavidad del resonador anterior será bastante pequeña y, por lo tanto, el sonido vocálico resultante, [i], es agudo. Si, por el contrario, la lengua adopta una posición posterior y próxima al velo del paladar, la cavidad bucal resonadora anterior es bastante grande, presentando el sonido vocálico que resulta, [u], un timbre grave (véase fig. 21).

5.2. VOCALES ESPAÑOLAS

En el sistema vocálico español, la consideración fonológica de las vocales ocupa un primer plano desde el punto de vista de la enseñanza de nuestra lengua, aparte de que no está, por otro lado, bien sistematizado el sistema fonético de nuestros sonidos vocálicos.

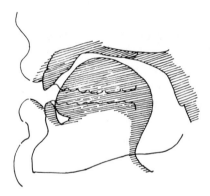

FIG. 17. Realización del fonema /i/ de /bíbo/*vivo*.

En español, por lo tanto, debemos considerar cinco vocales fonológicas: /i, e, a, o, u/, presentando tres de ellas unas variantes alofónicas o combinatorias que, según el *Manual de pronunciación española* de NAVARRO TOMÁS, serían las siguientes:

5.2.1. Los fonemas vocálicos /e/ y /o/ presentarían unos alófonos algo abiertos en las siguientes posiciones:

1) En contacto con el sonido [r̄] (*rr*), como [pér̄o] *perro,* [tɔr̄e] *torre,* [r̄émo] *remo,* [r̄ɔka] *roca.*

2) Cuando van precediendo al sonido [x], como [téxa] *teja,* [ɔxa] *hoja.*

3) Cuando van formando parte de un diptongo decreciente, como [péi̯ne] *peine,* [bói̯na] *boina.*

4) Además, el alófono abierto de /o/ se produce en toda
sílaba que se encuentre trabada por consonante, y el alófo-

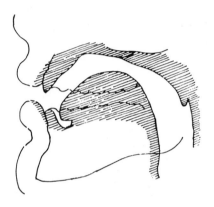

Fig. 18. Realización del fonema /é/ de /bébe/*bebe.*

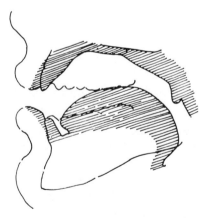

Fig. 19. Realización del fonema /á/ de /bába/*baba.*

no abierto de /e/ aparece cuando se halla trabado por cualquier consonante que no sea [d, m, s, n, θ]: [pélma] *pelma,*
[péska] *pesca,* [peθ] *pez,* [kósta] *costa,* [ólmo] *olmo.*

5.2.2.   El fonema /a/ presenta tres variedades alofónicas:

1)   Una variedad palatal, cuando precede a consonantes palatales del tipo [c, ʎ, ɲ, ỹ], como en [máʎa] *malla,* [fáca] *facha,* [despáco] *despacho.*

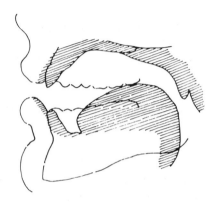

Fig. 20. Realización del fonema /ó/ de /bóbo/*bobo.*

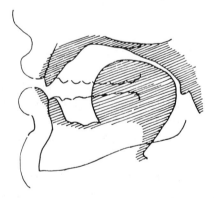

Fig. 21. Realización del fonema /ú/ de /púpas/*pupas.*

2)   Otra variante velarizada se produce cuando precede a las vocales [o, u], o a las consonantes [l, x]: [dóra] *ahora,* [páu̯sa] *pausa,* [pálma] *palma,* [máxa] *maja.*

3)   Una variante media, que se realiza en los contornos no expresados en los párrafos anteriores: [káro] *caro* [kompás] *compás,* [suḷtán] *sultán,* etc.

Estos alófonos, volvemos a repetir, no tienen ningún interés desde el punto de vista de la enseñanza del español a estudiantes de habla inglesa. De ahí que en lo sucesivo dediquemos nuestra atención a la realización media de los cinco fonemas vocálicos, es decir, a [i, e, a, o, u].

5.3. CLASIFICACIÓN FISIOLÓGICA DE LAS VOCALES ESPAÑOLAS

Desde el punto de vista fisiológico, que es desde el que prácticamente estamos viendo todos los sonidos articulados de nuestro sistema fónico, podemos clasificar las vocales atendiendo a las funciones de los órganos articulatorios, a la intensidad con que son emitidas, así como a su mayor o menor duración. De esta manera, nuestro sistema vocálico puede quedar clasificado del modo que exponemos a continuación.

5.3.1. VOCALES ALTAS, MEDIAS Y BAJAS

Si la lengua se aproxima hasta un máximo permisible para la articulación vocálica, bien al paladar duro o al paladar blando, se origina una serie conocida con el nombre de *vocales de pequeña abertura, vocales cerradas, vocales altas* o *vocales extremas,* tales como [i, u].

Si la lengua se separa más de la bóveda de la cavidad bucal se producen las vocales llamadas de *abertura media* o *vocales medias,* tales como [e, o].

Si la lengua se separa aún más de la bóveda palatal, y ocupa un límite máximo de alejamiento, se originan las llamadas *vocales de gran abertura, vocales abiertas* o *vocales bajas,* como la [a].

Para idiomas como el francés o el inglés, que poseen series más nutridas de vocales, es necesario acudir a otra di-

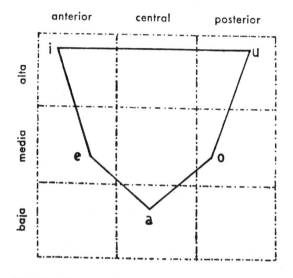

Fig. 22. Esquema figurado de las vocales españolas.

visión. Entonces hablamos de *vocales altas,* como [i, y, u];
mediocerradas, como [e, ə, ø, o]; *medioabiertas,* como [ε, œ, ɔ],
y *bajas,* como [a, ɑ], etc.

5.3.2. Vocales anteriores, posteriores y centrales

Cuando la lengua ocupa una posición articulatoria en la
región delantera de la cavidad bucal, esto es, en la zona que
se halla cubierta por el paladar duro, se originan las vocales
de la serie anterior, o simplemente *vocales anteriores* o *palatales.* Como puede verse en el diagrama de la figura 22, dentro de esta serie anterior se hallan las vocales [i, e].

Si en vez de ser la parte predorsal de la lengua la que se
aproxima al paladar duro, como en el caso anterior, es el
postdorso el que se acerca a la región posterior de la cavidad

bucal, esto es, al velo del paladar o paladar blando, se originan las vocales de la serie posterior, o simplemente *vocales
posteriores* o *velares,* como [u, o].

Si, por último, el dorso de la lengua se encuentra en una
región cubierta por el mediopaladar, se originan las *vocales
centrales,* de las que en nuestro sistema fonológico no conocemos nada más que una: [a].

5.3.3. VOCALES ORALES Y VOCALES ORONASALES

Ya hemos visto anteriormente cómo por la acción del velo
del paladar los sonidos se podían dividir en orales y nasales.
La misma catalogación se puede aplicar a las vocales en castellano.

Vocales orales, cuando durante su emisión el velo del paladar está adosado a la pared faríngea y, por lo tanto, la
onda sonora sale únicamente a través de la cavidad bucal. De
este modo son todas las vocales que llevamos consideradas
hasta ahora: [i, e, a, o, u].

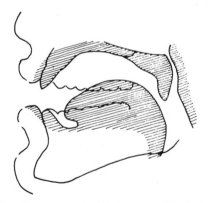

FIG. 23. Realización oronasal del fonema /á/ de /umánaménte/
humanamente.

Vocales nasales, cuando el velo del paladar está situado
en una posición media entre la lengua y la pared faríngea,
no obstruyendo ninguno de los dos caminos. De esta mane-

ra, la onda sonora sale al mismo tiempo por la cavidad bucal y por las fosas nasales. De ahí que sea más conveniente llamar a este grupo de sonidos vocálicos *oronasales,* que simplemente nasales.

El español posee una especie de vocal oronasal con menos resonancia que las correspondientes francesa o portuguesa, que es preferible denominar *oronasalizada.*

Se da en castellano esta clase de vocales, *alófonos de las vocales orales,* en dos posiciones:

1) Casi siempre que una vocal se encuentra entre dos consonantes nasales [mãno] *mano,* [nẽne] *nene,* etc.

2) Algunas veces, también se nasaliza la vocal cuando se encuentra en posición inicial absoluta, esto es, precedida de pausa, y seguida de una consonante nasal: [õnθéno] *onceno,* [ĩnsaθjáβle] *insaciable,* etc.

5.3.4. Vocales labializadas y deslabializadas

Se considera que las vocales posteriores van acompañadas por naturaleza de labialización (redondeamiento, abocinamiento), y que las anteriores, en cambio, son normalmente deslabializadas (fr. *écartées*). En español las dos series de vocales anterior y posterior son *normales* fonéticamente, es decir, el rasgo labial no es pertinente, ya que [u, o] se pronuncian con labialización, y las vocales [i, e, a] sin ella.

Ejemplos de series *anormales* son las anteriores redondeadas del francés [y, ø, œ] y las vocales posteriores deslabializadas del rumano, japonés y otras lenguas [ɯ, ɤ, ʌ].

5.3.5. Vocales acentuadas y vocales inacentuadas

Las vocales que reciben un máximo de energía articulatoria dentro del grupo fónico en que se hallan enclavadas, o dentro de una palabra, reciben el nombre de *vocales acentuadas* o *tónicas:* poseen mayor firmeza y mayor perceptibilidad que las átonas.

Por el contrario, las vocales que reciben un mínimo de intensidad articulatoria, pero suficiente para ser reconocidas
como tales vocales, reciben el nombre de vocales *inacentuadas* o *átonas*. Presentan menor estabilidad en su timbre y
menos perceptibilidad que las tónicas.

En el sistema vocálico castellano apenas si es posible hablar de *vocales relajadas*. Se realiza de este modo la que se
encuentra en posición final del grupo fónico, cuando precede
a una pausa, y aun así, conserva netamente su timbre característico.

5.3.6. VOCALES LARGAS Y VOCALES BREVES

Como se ha dicho, la duración absoluta de una vocal puede expresarse en centésimas de segundo. El estudio experi-
mental del español demuestra que, aunque la cantidad vocálica no es de relevancia fonológica, como en otras lenguas,
en realidad, hay vocales de cantidad relativamente diferente
que pueden llamarse *largas* y *breves* e incluso *semilargas* y
semibreves. Pero las llamadas largas no suelen ser tan largas
como las del inglés *feel, soon,* y las breves no son tan breves
como las vocales inacentuadas inglesas. Desde el punto de
vista práctico, por tanto, deben considerarse todas las vocales del español como breves (con algunas excepciones que in-
dicaremos al hablar en la Fonosintaxis). Los estudiantes de
habla inglesa tienen que evitar la tendencia hacia el alarga-
miento de la vocal acentuada en palabras oxítonas (agudas),
como *amar, comer, repetir,* etc.

5.4. CLASIFICACIÓN ACÚSTICA DE LAS VOCALES ESPAÑOLAS

Las vocales españolas se pueden clasificar con relación a
su timbre en:

Agudas, cuando la lengua ocupa una posición anterior
dentro de la cavidad bucal, lo que hace que la cavidad de re-

sonancia anterior sea más pequeña que la posterior. A esta clase pertenecen las vocales [i, e].

Graves, cuando la lengua ocupa una posición posterior, originándose entonces una gran cavidad de resonancia anterior. Además, esta cavidad se ve aumentada por la acción labial, que es, como ya dijimos, inherente a las articulaciones posteriores. A esta clase pertenecen las vocales [u, o]

Neutras, cuando la lengua ocupa una posición media y baja, creando dos cavidades de resonancia (anterior y posterior) prácticamente iguales. A esta clase pertenece la vocal [a].

De este modo tendremos:

agudas	*neutra*	*graves*
i		u
e		o
	a	

5.5. Definición fonética de una vocal

Para definir una vocal hay que tener en cuenta: 1.º) su *modo de articulación:* alta, media o baja; 2.º) su *lugar de articulación:* anterior, central o posterior; 3.º) *acción del velo del paladar:* oral u oronasal; 4.º) *acción labial:* labializada o deslabializada; 5.º) *su intensidad:* tónica o átona; 6.º), su *caracterización acústica:* aguda, neutra, grave.

Por ejemplo:

[o] = media, posterior, oral, labializada, átona, grave.
[ĩ] = alta, anterior, oronasal, deslabializada, átona, aguda.
[ú] = alta, posterior, oral, labializada, tónica, grave.

5.6. DEFINICIÓN FONOLÓGICA DE UNA VOCAL

De todas las características que posee una vocal desde el punto de vista fonético, sólo algunas son pertinentes fonológicamente: 1.º) el *modo de articulación;* 2.º) *el lugar de articulación* (los rasgos acústicos son concomitantes con el lugar de articulación).

Por ejemplo:

/o/ = media, posterior.
/i/ = alta, anterior.
/u/ = alta, posterior.

5.7. SENCILLEZ Y SIMETRÍA DEL SISTEMA VOCÁLICO DEL ESPAÑOL.

La sencillez del sistema vocálico español se aprecia mejor si se compara con el del francés, según PIERRE DELATTRE [1] (véase fig. 24).

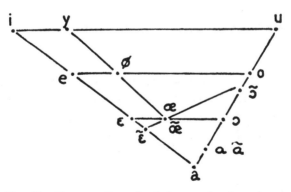

FIG. 24. Esquema figurado de las vocales francesas.
(DELATTRE.)

---

[1] *Principes de Phonétique française à l'usage des étudiants angloaméricains,* 2.ª ed., Middlebury, 1951, págs. 12, 23.

Como hemos dicho, este idioma posee cuatro grados de abertura frente a los tres del español. Además, tiene una serie de vocales anteriores labializadas, [y, ø, œ], otra serie de nasales, [ẽ, œ̃, õ, ã], más una central [ə] que en el esquema se colocaría en el centro, a una altura entre [œ] y [ø], y la velar [ɑ].

Compárese asimismo el sistema del inglés, también bastante complejo, según el esquema para el *Received English* de DANIEL JONES [2] (v. fig. 25).

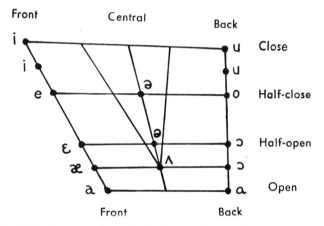

Fɪɢ. 25. Esquema figurado de las vocales inglesas. (JONES.)

Comparando estos dos esquemas vocálicos con el del español, queda patente la claridad de este último, con sus cinco netos fonemas vocálicos.

5.8. CONSEJOS PRÁCTICOS PARA EVITAR LA INFLUENCIA INGLESA EN LA PRONUNCIACIÓN DE LAS VOCALES ESPAÑOLAS

5.8.1. La influencia del inglés se muestra de una manera muy acusada en la pronunciación de las vocales, así como en su unión dentro de la fonética sintáctica. De este punto nos ocuparemos más adelante.

---

[2] *An Outline of English Phonetics*, 8.ª ed., Cambridge, 1952, pág. 64.

En primer lugar, los anglohablantes tienen que hacer un gran esfuerzo por *evitar la diptongación* de las vocales /e, o/. En inglés se pronuncian [ei], [ou], pero en español el timbre se mantiene fijo desde el comienzo hasta el final. Las causas hay que buscarlas en la relativa tensión articulatoria. Al articular [ei], [ou], en inglés, la lengua y los labios parten de una posición neutra para alcanzar la posición característica de la vocal, la cual abandonan con un movimiento de cerrazón. El esfuerzo articulatorio cae sobre la primera parte de la sílaba. En español, en cambio, los órganos anticipan la posición característica, y la vocal, además, se pronuncia con una tensión creciente, que hace que estas vocales [e, o] se

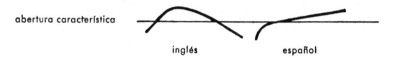

abertura característica   inglés   español

Fig. 26. Movimiento de abertura y cerrazón. (Delattre.)

mantengan firmes desde el principio al final. He aquí el esquema comparativo de los movimientos de abertura y cerrazón (v. fig. 26).

La tendencia a la diptongación se puede evitar por medio de una fuerte tensión articulatoria durante la emisión de la vocal.

5.8.2. Otra diferencia entre la vocal española y la inglesa se produce tanto en su rama intensiva como distensiva, esto es, en su parte inicial y final.

El comienzo de la vocal inglesa se realiza bruscamente a causa de una entrada en vibración muy rápida de las cuerdas vocales: desde una posición de reposo pasan inmediatamente al régimen normal de vibraciones. Esto hace que se perciba un pequeño ruido glotal al principio de una emisión vocálica, conocido por el nombre de *golpe de glotis* [?], y el fenómeno, por *ataque vocálico duro*.

En la vocal española las cuerdas vocales se aproximan lentamente, y entran despacio en vibración. Por lo tanto, el golpe de glotis está totalmente ausente de nuestro sistema vocálico, que se caracteriza precisamente por la posesión de un *ataque vocálico suave*.

El final de la vocal inglesa no es tan rápido tampoco como el de la española: en aquélla, la glotis va dejando de vibrar paulatinamente, dando la sensación de una vocal demasiado larga al oído español. El final de la vocal española, por el contrario, es rápido, cortante, seco.

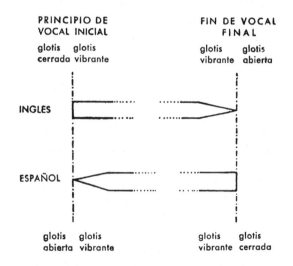

FIG. 27. Principio y fin de vocales, en inglés y español. (DELATTRE.)

En la figura 27 puede verse perfectamente la total diferencia que existe entre las vocales de ambas lenguas. Justamente el comienzo de la vocal inglesa es análogo al final de la vocal española, mientras que el final de la vocal inglesa es similar al principio de la vocal española.

5.9. Ejercicios fonéticos [3]

Vamos a pasar a considerar como final de este capítulo las pronunciaciones de las cinco vocales castellanas en sus tres posiciones: inicial, medial y final.

[a]			[e]		
inicial	*medial*	*final*	*inicial*	*medial*	*final*
alas	clase	papá	era	queso	té
agua	atrás	mamá	eje	papel	café
arte	padre	bota	este	defensa	parte
águila	regalo	bola	Eva	presente	padre
arco	mano	casa	época	verde	madre
arma	dedal	mapa	eme	peso	libre

[i]			[o]		
inicial	*medial*	*final*	*inicial*	*medial*	*final*
hijo	harina	sí	hora	loco	templo
isla	firma	aquí	ola	coro	carro
hilo	pipa	mí	oso	mono	toro
himno	pica	alhelí	oro	loro	vaso
hígado	prima	así	otro	poco	barco
íntimo	piña	vestí	ópera	coco	plato

[u]		
inicial	*medial*	*final*
uvas	lunes	Perú
uña	curva	tisú
útil	cuna	tabú
uso	Cuba	bambú
uno	luna	tú
único	cutis	tribu

---

[3] En la cinta, Ejercicio V.

5.10. VOCALES TÓNICAS: EJERCICIOS FONOLÓGICOS

i/e		i/a		i/o	
vivo	bebo	misa	masa	pico	poco
piso	peso	tiza	taza	tiro	toro
mimo	memo	quiso	caso	hijo	ojo
rizo	rezo	pila	pala	rica	roca
tila	tela	pita	pata	tinta	tonta
pila	pela	viga	vaga	mito	moto

i/u		e/a		e/o	
nido	nudo	queso	caso	pelo	polo
miro	muro	pesa	pasa	mero	moro
tina	tuna	pera	para	velo	bolo
risa	rusa	beca	vaca	seso	soso
pinta	punta	vela	bala	veto	voto
pipa	pupa	pelo	palo	pero	poro

e/u		a/o		a/u	
mesa	musa	mazo	mozo	cana	cuna
dedo	dudo	Paco	poco	cara	cura
vela	bula	palo	polo	rata	ruta
reta	ruta	caro	coro	bala	bula
bella	bulla	sala	sola	mala	mula
Eva	uva	paso	poso	malta	multa

o/u	
bola	bula
oso	uso
modo	mudo
rota	ruta
poro	puro
lona	luna

5.11. Vocales átonas: ejercicios fonológicos

i/e		i/a		i/o	
rizar	rezar	casi	casa	figón	fogón
pisar	pesar	mitad	matad	timar	tomar
pinar	penar	pisar	pasar	mirar	morar
pilón	pelón	visar	vasar	trinchar	tronchar
pisado	pesado	esquilar	escalar	pisada	posada
pinada	penada	literal	lateral	firmado	formado

i/u		e/a		e/o	
ligar	lugar	pase	pasa	pesar	posar
imito	humito	meses	mesas	rezar	rozar
fisión	fusión	besar	basar	tercer	torcer
pintada	puntada	mercado	marcado	velar	volar
avisar	abusar	alemanes	alemanas	ternero	tornero
anidar	anudar	velada	balada	pesado	posado

e/u		a/o		a/u	
temor	tumor	maza	mazo	pajar	pujar
cerrado	zurrado	maña	maño	amor	humor
retina	rutina	calor	color	maleta	muleta
asestado	asustado	perra	perro	sabido	subido
perita	purita	esposas	esposos	cañada	cuñada
empeñado	empuñado	pasaron	posaron	canita	cunita

o/u	
osar	usar
vocal	bucal
tornar	turnar
romano	rumano
emplomar	emplumar
sociedad	suciedad

5.12. Ejercicios prácticos de pronunciación: Apéndice I, Ejercicios VII-XII.

VOCALES: DIPTONGOS Y TRIPTONGOS

6.1. DIPTONGOS. DEFINICIÓN

La existencia de dos vocales en la misma sílaba constituye un *diptongo*. Una de estas dos vocales presenta la mayor abertura, la mayor energía articulatoria, y constituye el centro o *núcleo silábico;* la otra es *margen silábico prenuclear* o *margen silábico postnuclear*.

6.2. CLASES DE DIPTONGOS

En castellano conocemos dos tipos de diptongos:

6.2.1. Los que llamamos *diptongos crecientes,* en los que la vocal que forma el núcleo silábico está situada en posición secundaria, por lo que los órganos articulatorios, principalmente la lengua, se desplazan desde una posición cerrada a una abierta. La vocal más cerrada recibe en este caso el nombre de *semiconsonante,* y ocupa una posición silábica prenuclear. Se transcribe fonéticamente por estos signos: [j] o [w].

En castellano conocemos ocho diptongos crecientes: [ja], [je], [jo], [ju], [wa], [we], [wi], [wo] [1]. Ejemplos [2]:

1) *Semiconsonante* [j] + *vocal*

[ja]	[je]	[jo]
[áθja] hacia	[tjéne] tiene	[láβjo] labio
[r̄áβja] rabia	[djéṇte] diente	[murjó] murió
[oðjár] odiar	[sjéte] siete	[óðjo] odio
[párja] paria	[pjérðe] pierde	[márjo] Mario
[súθja] sucia	[tjémpo] tiempo	[r̄áðjo] radio

---

[1] Los diptongos [ju], [wi] suelen realizarse en algunos hablantes como [iu̯], [ui̯].

[2] En la cinta, ejercicio XIII.

[ju]

[θjuðáð] ciudad
[bjúða] viuda
[mjúra] Mihura
[trjúɱfo] triunfo
[djurétiko] diurético

2) *Semiconsonante* [w] + *vocal*

[wa]	[we]	[wi]
[kwáṇto] cuánto	[kwérða] cuerda	[r̄wíðo] ruido
[páðwa] Padua	[mwérte] muerte	[r̄wína] ruina
[gwárða] guarda	[r̄wéða] rueda	[mwí] muy
[áɣwa] agua	[swéka] sueca	[fwí] fui
[kwátro] cuatro	[swélo] suelo	[lwís] Luis

[wo]

[árðwo] arduo
[asíðwo] asiduo
[aṇtíɣwo] antiguo
[bákwo] vacuo
[dwoðéno] duodeno

Cuando en el diptongo [we] la semiconsonante [w] es el
primer alófono prenuclear de la sílaba, aparece siempre en
el lenguaje conversacional, en posición inmediatamente anterior a él, el sonido [g], que se realiza como cualquiera de sus
dos alófonos: [g] o [ɣ]. Ejemplos: [gwérta] *huerta*, [úŋgwéβo]
un huevo, [biɣwéla] *vihuela*, [laɣwérta] *la huerta*.

6.2.2. Los llamados *diptongos decrecientes*, en los que la
vocal que forma el núcleo silábico está situada en primera po-

sición, por lo que los órganos articulatorios se desplazan desde una posición abierta a una cerrada. La vocal más cerrada recibe en este caso el nombre de *semivocal* y ocupa una posición silábica postnuclear. Se transcribe fonéticamente por los signos [i̯] o [u̯]. En castellano existen seis diptongos decrecientes: [ai̯, ei̯, oi̯, au̯, eu̯, ou̯].

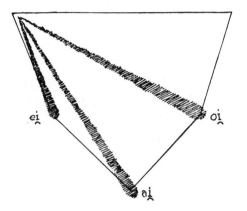

FIG. 28. Esquema figurado de los diptongos con [i̯].

Ejemplos:

1) *Vocal + semivocal* [i̯]

[ai̯]	[ei̯]	[oi̯]
[ái̯re] aire	[r̄éi̯] rey	[dói̯] doy
[bái̯le] baile	[péi̯ne] peine	[bói̯] voy
[kái̯ro] Cairo	[léi̯] ley	[sói̯] soy
[trái̯ya] traiga	[séi̯s] seis	[ói̯] hoy
[dái̯s] dais	[béi̯nte] veinte	[bói̯na] boina

2) *Vocal + semivocal* |u̯|

[au̯]	[eu̯]	[ou̯]
[r̄áu̯ðo] raudo	[déu̯ðo] deudo	[lo‿u̯njó] lo unió
[káu̯sa] causa	[féu̯ðo] feudo	[bóu̯] bou
[káu̯to] cauto	[eu̯rópa] Europa	[lo‿u̯só] lo usó
[áu̯to] auto	[θéu̯ta] Ceuta	
[áu̯la] aula	[r̄eu̯sár] rehusar	

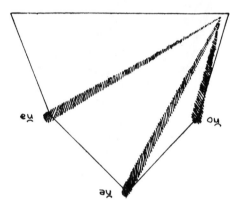

FIG. 29. Esquema figurado de los diptongos con [u̯].

6.3. OBSERVACIONES

Los hablantes a los que va dirigido este libro no suelen dar a las semivocales españolas el grado de cerrazón que requieren, e incluso muchas veces omiten totalmente la semivocal; es necesario pronunciar [ai̯], [au̯] con fuerte tensión articulatoria, y en el caso de [au̯] téngase cuidado, además, de efectuar una labialización vigorosa.

A continuación, a guisa de ejercicios, damos algunos ejemplos de contrastes entre diptongos decrecientes y vocal.

diptongo	*vocal*	*diptongo*	*vocal*
vaina	vana	soy	so
paisaje	pasaje	hoy	o
baile	vale	cauto	cato
Cairo	caro	rauda	rada
traigo	trago	pauta	pata
baila	bala	auto	ato
dais	das	causa	casa
peina	pena	maula	mala
ley	lee	augita	agita
veinte	vente	aula	ala
veis	ves	fausto	fasto
reino	reno	deudo	dedo
peinado	penado	Ceuta	ceta

6.4. TRIPTONGOS. DEFINICIÓN

La existencia de tres vocales en la misma sílaba determina un *triptongo*. Como en el diptongo, la vocal más abierta es la que forma el núcleo silábico, y posee también la mayor energía articulatoria. Las otras dos vocales serán *semiconsonante* o *semivocal,* según vayan situadas antes o después del núcleo silábico. Ejemplos:

[despreθjáịs] despreciáis   [saṇtiɣwéịs] santigüéis
[bwéi̯] buey   [aβeriɣwéis] averigüéis
[seṇtenθjéị̯s] sentenciéis   [r̄oθjáịs] rociáis

6.5. VALIDEZ FONOLÓGICA DE LOS DIPTONGOS Y TRIPTONGOS

Las semivocales y semiconsonantes son, en español, meros alófonos de los correspondientes fonemas vocálicos (anterior o posterior). Es decir:

FONEMA	ALÓFONOS	
/i/	[j]	semiconsonante
	[i̯]	semivocal
/u/	[w]	semiconsonante
	[u̯]	semivocal

Por lo tanto, la distinción semiconsonante-semivocal es puramente fonética e indicadora de la posición prenuclear o postnuclear de la vocal que constituye el margen silábico.

En español, los diptongos son elementos bifonemáticos, y los triptongos, elementos trifonemáticos; es decir, están constituidos por dos o tres fonemas, respectivamente.

La transcripción fonológica de los diptongos crecientes es: /ia/: /áθia/ *hacia;* /ie/: /tiéne/ *tiene;* /io/: /lábio/ *labio;* /iu/: /biúda/ *viuda;* /ua/: /água/ *agua;* /ue/: /suélo/ *suelo;* /ui/: /fuí/ *fui;* /uo/: /asíduo/ *asiduo.* La de los diptongos decrecientes: /ai/: /áire/ *aire;* /ei/: /péine/ *peine;* /oi/: /ói/ *hoy;* /au/: /áula/ *aula;* /eu/: /európa/ *Europa;* /ou/: /bóu/ *bou.*

Los triptongos se transcribirán fonológicamente de la siguiente forma: /iai/: /despreθiáis/ *despreciáis;* /iei/ /sentenθiéis/ *sentenciéis;* /uai/ /aberiguáis/ *averiguáis;* /uei/: /buéi/ *buey,* etc.

6.6. OBSERVACIÓN SOBRE LAS CONJUNCIONES *Y, U*

6.6.1. *Conjunción Y.*—La pronunciación de esta conjunción cambia según el contexto fonético en que esté situada:

1) Cuando está entre dos consonantes, se realiza como la vocal anterior palatal [i]: [xwán i kárlos] *Juan y Carlos,* [kosér i kortár] *coser y cortar,* etc.

2) Cuando se encuentra situada *entre una consonante y una vocal,* se realiza como la semiconsonante [j], ya que por su carencia de acento se re-

agrupa silábicamente con la vocal siguiente [buskár jelexír] *buscar y elegir,*
[xuɣár jestuðjár] *jugar y estudiar.* etc.

3) Cuando se encuentra situada *entre una vocal y una consonante,* se
realiza como la semivocal [i̯], ya que por su carencia de acento no tiene
más remedio que agruparse con la vocal anterior: [xuɣói̯ komjó] *jugó y
comió,* [márjoi̯ lwís] *Mario y Luis,* etc.

4) Cuando se encuentra situada *entre dos vocales* se realiza, como en
el segundo caso, como una semiconsonante, ya que por la tendencia del español a la sílaba abierta y por la carencia de acento se reagrupa silábicamente con la vocal que le sigue: [miró jestuðjó] *miró y estudió.*

6.6.2. *Conjunción U.*—Se emplea solamente delante de palabras que em-
piezan por la vocal [o]. Se realiza siempre como la semiconsonante [w] por
las mismas razones que las expuestas en el anterior caso cuarto: [sjéte wóco]
siete u ocho, [úno wótro] *uno u otro,* [amór wóðjo] *amor u odio,* etc.

6.7. HIATOS

Cuando concurren dos vocales en una palabra, una de
ellas alta [i, u] y la otra media o baja [e, o, a], pueden no
formar diptongo porque cada una de ellas pertenezca a una
sílaba diferente, constituyendo en este caso sendos núcleos
silábicos. Veamos algunos ejemplos:

[i-a]	[i-e]	[i-o]	[u-a]
impía	biela	bióxido	falúa
tía	bienio	lío	continúa
día	fíe	mío	rúa
diario	fié	tío	púa
viático	diedro	estío	lúa
piano	ríe	río	acentúa

[u-e]	[u-i]	[u-o]	[a-i]
acentúe	buido	cuota	bahía
desvirtúe	huir	dúo	caída
sitúe	destituir	sitúo	laísmo
continúe	influir	desvirtúo	maíz
actúe	instruir	acentúo	país
actué	destruir	continúo	raída

[e-i]	[o-i]	[a-u]	[e-u]
deífico	bohío	aúlla	reúno
leísmo	loísmo	aúna	reúma
leí	mohíno	baúl	Seúl
seísmo	roído	laúd	me uno
ateísmo	oído	Saúl	se usa
reír	oír	saúco	rehuso

Como puede deducirse de lo anteriormente expuesto, los fonemas /i, u/, antepuestos o postpuestos al resto de los fonemas vocálicos, pueden constituir o no diptongo. Compárese *hacia* /v/ *hacía, rey* /v/ *reí, hoy* /v/ *oí, ley* /v/ *leí*, etc.

6.8. Cuando en una palabra concurren dos vocales medias [eo, oe], o una media y otra baja o viceversa [ea, oa, ae, ao] cada una de ellas constituye un núcleo silábico diferente, no formando, por lo tanto, diptongo. Ejemplos:

[e-o]	[o-e]	[e-a]	[o-a]
céreo	bohemio	real	boa
veo	coetáneo	meandro	boato
leo	coherente	seamos	coágulo
reo	poeta	vea	loa
aseo	enmohecer	lea	toalla
rodeo	soez	beato	oasis

[a-e]	[a-o]
caer	vaho
faena	caos
Jaén	lavaojos
maestro	nao
paella	ahora
saeta	tahona

Muchas veces, en el habla conversacional, estas vocales que normativamente forman sílabas distintas se pronuncian en una sola; esto es: en lugar de *cé-re-o, cé-reo;* en lugar de *bo-he-mio, bohe-mio;* en lugar de *re-al, real,* etc. Este fenómeno recibe el nombre de *sinéresis.*

6.9. Ejercicio práctico de pronunciación: Apéndice II, Ejercicio XIV.

VII

OCLUSIVAS

7.1. Características

Reciben el nombre de oclusivos aquellos sonidos que se caracterizan por una interrupción en el paso del aire, motivada por el cierre completo de dos órganos articulatorios. La oclusión se produce en el segundo momento, en el tensivo, que es el más característico de este grupo. El velo del paladar se encuentra pegado a la pared faríngea e impide la salida del aire a través de las fosas nasales.

7.2. División

7.2.1. *Fonológicamente,* el español conoce seis fonemas oclusivos:

1.º)	bilabial sordo...	/p/
2.º)	bilabial sonoro	/b/
3.º)	linguodental sordo	/t/
4.º)	linguodental sonoro...	/d/
5.º)	linguovelar sordo...	/k/
6.º)	linguovelar sonoro	/g/

7.2.2. *Fonéticamente,* según el lugar de articulación y la

distinción creada por la vibración de las cuerdas vocales, las consonantes oclusivas españolas se clasifican en:

1.º) bilabiales... ... ... $\left\{\begin{array}{l}\text{sorda } [\text{p}] \\ \text{sonora } [\text{b}]\end{array}\right.$

2.º) linguodentales ... ... $\left\{\begin{array}{l}\text{sorda } [\text{t}] \\ \text{sonora } [\text{d}]\end{array}\right.$

3.º) linguovelares ... ... $\left\{\begin{array}{l}\text{sorda } [\text{k}] \\ \text{sonora } [\text{g}]\end{array}\right.$

7.3. BILABIALES

En su realización los dos labios se cierran momentáneamente impidiendo la salida del aire a través de la cavidad bucal.

7.3.1. *Oclusiva bilabial sorda.*—Este sonido y fonema se representa fonéticamente por [p]. Las cuerdas vocales no

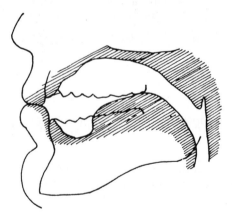

FIG. 30. Realización del fonema /p/ de /apáráto/*aparato*.

vibran durante su emisión. Se produce como tal en cualquier posición de la cadena fónica. (Como excepción, véase § 7.8.).

Ortográficamente responde siempre al grafema *p*.

Ejemplos: [ópera] *ópera,* [kópa] *copa,* [tápa] *tapa,* [papá] *papá,* [páko] *Paco,* etc.

7.3.2. Oclusiva bilabial sonora.—El sonido [b] es una manifestación del fonema /b/. Las cuerdas vocales vibran durante su emisión. Se produce de esta manera siempre que un sonido bilabial sonoro se encuentra en posición inicial de grupo fónico, esto es, precedido de pausa, y cuando se halla después de consonante nasal [m] (ortográficamente *m* o *n;* esta última, por asimilación al sonido bilabial, siempre se realiza fonéticamente como [m]).

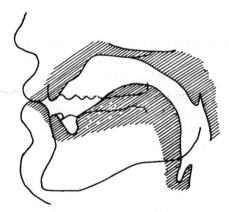

Fig. 31. Realización oclusiva del fonema /b/ de /ónbre/*hombre.*

Ortográficamente responde indistintamente a los grafemas *b* o *v.*

Ejemplos: [báso] *vaso,* [bóte] *bote,* [ómbre] *hombre,* ⌊túmba⌋ *tumba,* ⌈úm bélo⌉ *un velo,* ⌊úm bwém bjéxo] *un buen viejo,* etc.

7.4. Linguodentales

La oclusión se forma con el ápice de la lengua contra los incisivos superiores. Este grupo de sonidos es conocido también con el nombre de *dentales.*

7.4.1. *Oclusiva linguodental sorda.*—Este sonido y fonema se transcribe fonéticamente como [t]. Las cuerdas vocales no vibran. Se realiza como tal en cualquier posición que se encuentre dentro de la cadena fónica (como excepción, véase § 7.8.).

Ortográficamente responde siempre al grafema *t*.

Ejemplos: [páto] *pato*, [téla] *tela*, [píto] *pito*, [teʊtóniko] *teutónico*, [kortár] *cortar*, etc.

7.4.2. *Oclusiva linguodental sonora.*—El sonido [d] es una manifestación del fonema /d/. Se opone al anterior por la vibración de las cuerdas vocales.

Se realiza como tal siempre que este sonido linguodental sonoro se encuentre en posición inicial de grupo fónico, o precedido de consonante nasal, [n], o lateral [l]. Cuando estas [n] o [l] preceden a cualquier consonante linguodental —[t] o [d]— cambian, por asimilación, su lugar de articulación desde la zona alveolar a la dental y se transcriben fonéticamente como [n̪, l̪] (véanse los §§ 10.4.5. y 11.2.4.3.).

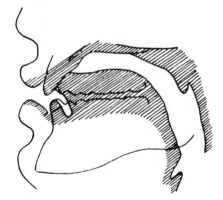

Fɪɢ. 32. Realización oclusiva del fonema /d/ de /diós/*Dios*.

Ortográficamente responde siempre al grafema *d*.

Ejemplos: [dinéro] *dinero*, [dóⁿde] *donde*, [toldo] *toldo*, [úⁿ djéⁿte] *un diente*, [el dwéⁿde] *el duende*, etc.

7.5. Observación

Los estudiantes de habla inglesa deben darse cuenta que las dos consonantes españolas [t] y [d] son dentales y no alveolares como en inglés (v. figs. 33 y 34); además, la [t] española no posee huella alguna de aspiración o africación, mientras que la [t] inglesa ante la vocal anterior alta [i], es netamente africada. Esta africación, en *tiene, tiempo,* por ejemplo, se debe suprimir, aplicando el ápice de la lengua sobre los incisivos, y no sobre los alvéolos.

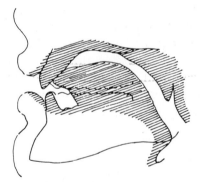

Fig. 33. Realización del fonema /t/ de /atáᴅ/*atad.*

7.6. Linguovelares

Llamadas también *velares.* Estos sonidos forman su oclusión con el postdorso de la lengua contra el paladar blando o velo del paladar.

7.6.1. *Oclusiva linguovelar sorda.*—Sonido y fonema [k]. Las cuerdas vocales no vibran durante su emisión. Siempre es oclusiva cualquiera que sea su posición dentro de la cadena fónica. (Como excepción, véase § 7.8.).

Ortográficamente responde siempre a los grafemas *qu* ante *e, i, (que, qui)*, o bien *c* ante *a, o, u (ca, co, cu)*.

Ejemplos: [kása] *casa;* [késo] *queso,* [pakéte] *paquete,* |kílo| *quilo,* [lóko] *loco,* etc.

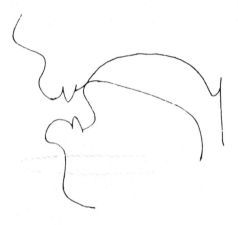

FIG. 34. [t] del inglés. (Según MacCarthy.)

7.6.2. *Oclusiva linguovelar sonora.*—El sonido [g] es una manifestación del fonema /g/. Por oposición al anterior, las cuerdas vocales vibran. Se realiza de esta manera siempre que el fonema /g/ se encuentra en posición inicial de grupo fónico o precedido de la nasal [n]; ésta, por asimilación, cambia de lugar de articulación desde la zona alveolar a la velar, transcribiéndose fonéticamente como [ŋ] (v. § 10.4.7.).

Ortográficamente responde a los grafemas *gu* ante *e, i (gue, gui)*, o al grafema *g* ante *a, o, u (ga, go, gu)*.

Ejemplos: [gása] *gasa,* [gíso] *guiso,* [kóŋgo| *Congo,* [óŋgo] *hongo,* |gér̃a| *guerra,* etc.

7.7. ALÓFONOS

Las consonantes oclusivas sonoras [b, d, g], tratadas anteriormente, se realizan de este modo en unas posiciones determinadas: detrás de pausa y de consonante nasal [b] y [g],
y detrás de pausa, de nasal y lateral, [d]. En cualquier otra
posición fonética ya no aparecen como oclusivas, sino como
fricativas, según veremos en el capítulo siguiente.

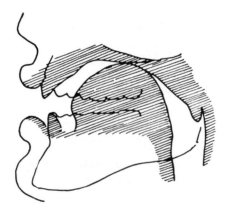

FIG. 35. Realización del fonema /k/ de /akí/*aquí.*

Desde el punto de vista fonológico, no nos preocupa que
estos fonemas se realicen como oclusivos o como fricativos,
ya que la variación que sufren al modificarse su contorno
fónico no cambia el valor significativo de la palabra en que
están situados. Así, por ejemplo, el fonema /b/ de /báso/
vaso, se realiza como oclusivo en el contexto [úm báso] *un
vaso,* pero como fricativo en [ése βáso] *ese vaso.* De ahí que
en los ejemplos de oposiciones fonológicas no distingamos entre los sonidos oclusivos y fricativos, pues ambos son mani-
festaciones de los fonemas /b, d, g/.

Resumiendo podríamos decir:

Fonemas		Alófonos
/b/ …………	[b] [β]	[úm bóte] *un bote* [ése βóte] *ese bote*
/d/ …………	[d] [ð]	[úṇ déðo] *un dedo* [ése ðéðo] *ese dedo*
/g/ …………	[g] [ɣ]	[úŋ gáto] *un gato* [ése ɣáto] *ese gato*

Ejemplos que transcritos fonológicamente serían así: /úɴ
bóte/, /ése bóte/; /úɴ dédo/, /ése dédo/; /úɴ gáto/, /ése gáto/.
(Para el signo /ɴ/, archifonema nasal, véase § 10.5.).

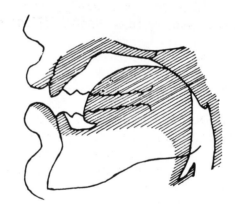

FIG. 36. Realización oclusiva del fonema /g/ de /kóɴgo/*Congo*.

7.8. REALIZACIÓN DE LOS FONEMAS OCLUSIVOS EN POSICIÓN
SILÁBICA IMPLOSIVA

El español, como ya veremos más adelante, muestra una
clara tendencia a formar sílabas abiertas, es decir, sílabas
formadas por *consonante* + *vocal* (CV), del tipo *ca-sa, pa-pá,*

etcétera. En virtud de esta tendencia, todas las realizaciones de los fonemas que se encuentran en posición implosiva, es decir, después del núcleo silábico, tienden a modificarse o a perderse c v c → c v c' o c v: [ákto] → [áɣto, áθto] o [áto] *acto*.

Normativamente, pueden darse las siguientes realizaciones:

1) La conservación tanto de las sordas como de las sonoras: [ákto] *acto*, [ábsiðe] *ábside*, etc.

2) Las oclusivas sonoras pueden realizarse como fricativas con mayor o menor tensión, según la energía empleada en su articulación, como, por ejemplo, [áβsiðe] *ábside*, [aðskríto] *adscrito*, [iɣnoráṇte] *ignorante*, etc.

3) Las oclusivas sordas pierden algo de su tensión articulatoria, e incluso llegan a sonorizarse y a convertirse en fricativas, como, por ejemplo, [áβto] *apto*, [áðlas] *atlas*, [aɣtór] *actor*, etc.

7.9. CONSEJOS PRÁCTICOS

Las consonantes oclusivas inglesas, tanto sordas como sonoras, en posición inicial, difieren bastante de las españolas. Esta diferencia radica principalmente en dos puntos: 1.°) tendencia a la aspiración en las consonantes sordas, y 2.°) ensordecimiento de las sonoras.

7.9.1. *Aspiración de las oclusivas sordas.*—La aspiración inglesa de las oclusivas sordas se debe al mantenimiento de la glotis en posición abierta durante toda la emisión de la consonante. Compárense en la figura 37 los dos tipos de oclusiones.

Como vemos, tanto en la oclusión inglesa como en la española, el primer momento —cierre de la boca— es análogo. Pero mientras que en inglés no existe durante el momento tensivo de la oclusiva un cierre completo de las cuerdas voca-

les, en español, sí se da. De ahí que en el momento distensi-
vo, en la explosión, al abrir la boca, salga durante la emisión
de la oclusiva inglesa, no sólo el aire contenido en la cavidad
bucal, sino también el que se encontraba en los pulmones,
produciendo, como es lógico, una fuerte aspiración. En la
oclusiva española, como las cuerdas vocales se han cerrado
durante la tensión, al abrir la boca únicamente sale el aire
en ella contenido.

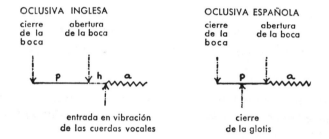

FIG. 37.   Oclusivas sordas del inglés y del español. (DELATTRE.)

   Para evitar esta aspiración debe procurarse realizar un
perfecto cierre de la glotis, algo semejante al que se produce
al emitir en inglés un sonido vocálico que se encuentra en
posición inicial. Hay que observar, además, que las oclusivas sordas [p, t, k] no poseen aspiración en inglés cuando
se encuentra en posición interior: en *pin, take, cool,* se produce aspiración, pero no en *spin, steak, school.*

   7.9.2. *Ensordecimiento de las oclusivas sonoras.*—En la
figura 38 están representados en esquema los modos de producirse la explosión sonora de las consonantes [b, d, g] en
inglés y en español.

   En la oclusiva inglesa permanecen las cuerdas vocales totalmente inactivas —sin vibrar— desde el cierre de la boca
para la producción de la oclusión hasta su abertura para comenzar la emisión de la vocal. Es, en realidad, una sorda con

explosión sonora. Por el contrario, en español, después de producirse el cierre de la boca, sobreviene al empezar el momento tensivo de la oclusiva el comienzo de las vibraciones glotales.

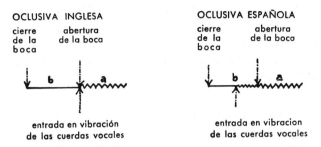

FIG. 38.   Oclusivas inglesa y española: vibración de las cuerdas vocales.
(DELATTRE.)

Para evitar este ensordecimiento es necesario esforzarse por hacer entrar en vibración las cuerdas vocales antes de la pronunciación de la consonante.

7.10.   EJERCICIOS FONÉTICOS [1]

Damos a continuación unas listas de palabras donde las consonantes oclusivas se encuentran en las posiciones permisibles en español:

[p]		[t]		[k]	
inicial	*medial*	*inicial*	*medial*	*inicial*	*medial*
peso	mapa	te	total	queso	roca
puente	copa	tapa	tentar	casa	sacar
puro	capa	toca	tinta	caso	boca
pasas	papel	tiza	metal	cama	tocar
pez	Pepe	torre	bota	culpa	poco
parar	tapete	taza	hotel	carta	loco

[1]   En la cinta, Ejercicio XV.

[b]		[d]		[g]	
inicial	*medial*	*inicial*	*medial*	*inicial*	*medial*
bar	tumba	dedo	ronda	guapo	ponga
baño	comba	dónde	conde	gordo	Congo
vez	cambiar	dar	toldo	guerra	hongo
vino	un bote	día	soldar	goma	tengo
vaca	ambos	daño	cundir	gato	ganga
boca	un beso	dolor	mandar	guiso	rango

7.11. EJERCICIOS FONOLÓGICOS [2]

Damos a continuación una serie de oposiciones fonológicas para que sirvan de ejemplos en la estructuración de nuestra lengua. Como ya hemos indicado anteriormente, no consideramos las fricativas bilabial, linguointerdental y linguovelar por ser alófonos de las correspondientes oclusivas. Veamos también en qué conceptos se fundan las oposiciones que aquí damos:

/p/ se opone a /b/, en cuanto *sorda/sonora*
se opone a /f/, en cuanto *oclusiva/fricativa*
se opone a /t/, en cuanto *labial/dental*
se opone a /k/, en cuanto *labial/velar*
se opone a /m/, en cuanto *oral/nasal*

p/b		p/f		p/m	
par	bar	pavor	favor	poda	moda
peso	beso	pez	fez	capa	cama
paño	baño	pino	fino	puerto	muerto
pata	bata	pía	fía	pozo	mozo
pelo	velo	copia	cofia	trapo	tramo
poca	boca	paz	faz	pala	mala
parra	barra	puente	fuente	copa	coma
pez	vez	poso	foso	pato	mato
pino	vino	presa	fresa	pana	mana
pesa	besa	prisa	frisa	rapo	ramo

[2] En la cinta, Ejercicio XVI.

p/t

capa	cata
copo	coto
trapo	trato
pinta	tinta
poca	toca
pino	tino
mapa	mata
lapa	lata
aspa	asta
guapa	guata

p/k

peso	queso
poso	coso
paso	caso
pasa	casa
puente	cuente
apostar	acostar
pulpa	culpa
puño	cuño
puro	curo
puñado	cuñado

/b/ se opone a /m/, en cuanto *oral/nasal*
    se opone a /p/, como ya hemos visto
    se opone a /f/, en cuanto a *sonora/sorda* u
                               oclusiva/fricativa
    se opone a /d/, en cuanto *labial/dental*
    se opone a /g/, en cuanto *labial/velar*

b/m		b/f		b/d	
alba	alma	brío	frío	vía	día
vano	mano	vino	fino	salvar	saldar
bar	mar	vibra	fibra	cava	cada
besa	mesa	veo	feo	bono	dono
lobo	lomo	boca	foca	vuelo	duelo
borro	morro	borro	forro	combado	condado
vuela	muela	babor	favor	calvo	caldo
bota	mota	vaca	faca	estribor	estridor
bulo	mulo	brisa	frisa	parva	parda
vil	mil	balsa	falsa	torvo	tordo

b/g

libar	ligar
robar	rogar
bruta	gruta
bala	gala
bula	gula
basta	gasta
bata	gata
bota	gota
alba	alga
voces	goces

/d/ se opone a /t/, en cuanto *sonora/sorda*
    se opone a /b/, como ya hemos visto
    se opone a /θ/, en cuanto *sonora/sorda*
    se opone a /g/, en cuanto *dental/velar*

d/t		d/θ		d/g	
soldado	soltado	cada	caza	día	guía
domar	tomar	lado	lazo	toda	toga
boda	bota	rada	raza	dama	gama
codo	coto	cordel	corcel	vado	vago
condado	contado	modo	mozo	rueda	ruega
tiendo	tiento	Breda	breza	dato	gato
saldar	saltar	caldo	calzo	doma	goma
rada	rata	deja	ceja	doce	goce
soldar	soltar	moda	moza	boda	boga
seda	seta	dedo	cedo	veda	vega
tienda	tienta	dar	zar	lado	lago

/t/ se opone a /d/ y a /p/, como ya hemos visto
    se opone a /k/, en cuanto *dental/velar*
    se opone a /θ/, en cuanto *oclusiva/fricativa*

t/k		t/θ	
torre	corre	teja	ceja
toser	coser	tierra	cierra
tarro	carro	rata	raza
tal	cal	catar	cazar
tasar	casar	tinta	cinta
tanto	canto	moto	mozo
tardar	cardar	terca	cerca
taza	caza	enterrar	encerrar
rota	roca	tiento	ciento
tuna	cuna	tierno	cierno

/k/ se opone a /p/ y /t/, como ya hemos visto
se opone a /g/, en cuanto *sorda/sonora*
se opone a /x/, en cuanto *oclusiva/fricativa*

k/g		k/x	
casa	gasa	roca	roja
coma	goma	sacar	sajar
vaca	vaga	coco	cojo
toca	toga	vaca	baja
cana	gana	faca	faja
quita	guita	cota	jota
cota	gota	saco	sajo
corro	gorro	carro	jarro
coloso	goloso	quema	gema
caucho	gaucho	Paca	paja

/g/ se opone a /b, d, k/, como ya hemos visto
se opone a /x/, en cuanto *sonora/sorda*

g/x

gota	jota
vago	bajo
higo	hijo
hago	ajo
paga	paja
liga	lija
vega	veja
digo	dijo
mago	majo
legos	lejos

7.12. EJERCICIOS PRÁCTICOS DE PRONUNCIACION: Apéndice II, Ejercicios XVII-XIX.

VIII

FRICATIVAS

8.1. Características

Se da el nombre de consonante fricativa o constrictiva a aquel sonido articulado en el que durante su emisión se produce un estrechamiento del canal bucal sin que se llegue nunca al cierre completo de los órganos articulatorios que intervienen en su formación. De ahí que por oposición a las consonantes oclusivas, que son momentáneas, las fricativas reciban también el nombre de *continuas*.

Durante su emisión, el velo del paladar permanece adherido a la pared faríngea, por lo que el aire sale siempre a través de la cavidad bucal.

8.2. División

8.2.1. Desde el punto de vista fonológico, el español conoce los siguientes fonemas fricativos:

1) labiodental sordo ... ...   /f/
2) linguointerdental sordo ... ...   /θ/
3) linguoalveolar sordo ... ...   /s/
4) linguopalatal sonoro ... ...   /ĵ/
5) linguovelar sordo... ... ...   /x/

8.2.2. Desde el punto de vista *fonético*, según los órganos articulatorios o las zonas del aparato fonador que intervienen, así como la vibración o no vibración de las cuerdas vocales, las consonantes fricativas se clasifican en:

1) bilabial ... ...　　[β], sonora, alófono de /b/
2) labiodental ... ...　　[f], sorda, alófono de /f/
3) linguointerdentales... ⟨ [ð], sonora, alófono de /d/
　　　　　　　　　　　　⟨ [θ], sorda, alófono de /θ/
4) linguoalveolares... ... ⟨ [s], sorda, alófono de /s/
　　　　　　　　　　　　⟨ [ş], sonorizada, alófono de /s/
5) linguopalatal ... ...　　[ǰ], sonora, alófono de /ǰ/
6) linguovelares... ... ... ⟨ [x], sorda, alófono de /x/
　　　　　　　　　　　　⟨ [γ], sonora, alófono de /g/

8.3. FRICATIVA BILABIAL SONORA

Esta consonante, desde el punto de vista fonológico, es una mera variante, un alófono del fonema oclusivo bilabial sonoro, /b/. Fonéticamente se transcribe por [β].

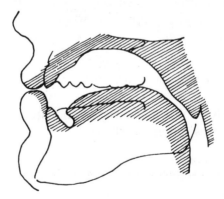

FIG. 39. Realización fricativa del primer fonema /b/ de /la bába/*la baba*.

Los dos órganos que intervienen en su producción son los labios; se estrechan sin llegar nunca a cerrarse. Este alófono se realiza como fricativo siempre que no esté situado después de pausa o detrás de una consonante nasal; es decir, por exclusión, en aquellas posiciones que no son propias de las oclusivas bilabiales. (Véase también § 7.8.)

Ortográficamente responde a las mismas grafías que el fonema /b/, es decir, a *b* o *v*, indistintamente.

Ejemplos: [lóβo] *lobo*, [káβo] *cabo*, [álβa] *alba*, [laβár] *lavar*, [ése βárko] *ese barco*, [el βíno] *el vino*, etc.

8.4. FRICATIVA LABIODENTAL SORDA

Este sonido y fonema se representa fonéticamente por medio del signo [f]. Para su articulación, el labio inferior se aproxima a los incisivos superiores, formando entre ambos una estrechez por donde discurre el aire. Aparece de este modo en cualquier posición de la cadena fónica.

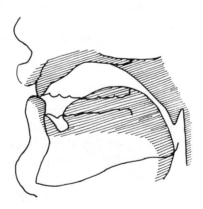

FIG. 40. Realización del fonema /f/ de /gáfas/ *gafas*.

Ortográficamente, responde siempre al grafema *f*.

Ejemplos: [kafé] *café*, [fé] *fe*, [feřokaříl] *ferrocarril*, [fáma] *fama*, [trifúlka] *trifulca*, etc.

El español conoció en otros tiempos la correspondiente *labiodental fricativa sonora* /v/, que perdió a principios de la

Edad Moderna. Por ello, la pronuncición de la consonante
[v] es un fenómeno de ultracorrección. No se debe pronunciar [víno] *vino,* sino [bíno].

8.5. LINGUOINTERDENTALES

8.5.1. *Fricativa linguointerdental sorda.*—Este sonido y
fonema se representa por el signo [θ]. En su articulación el
ápice de la lengua se introduce entre los incisivos superiores
e inferiores. Las cuerdas vocales no vibran. Hay que tener
presente que en la producción de este sonido español la lengua
se estrecha más fuertemente contra los dientes que para el
homólogo sonido inglés, produciendo a causa de ello una mayor tensión articulatoria, y también un timbre más agudo.
Se realiza como tal en cualquier posición dentro de la cadena
hablada.

Ortográficamente responde a la grafía *c* delante de las
vocales *e, i* (*ce, ci*) y también a la grafía *z* ante las vocales
a, o, u (*za, zo, zu*).

Ejemplos: [káθa] *caza,* [koθér] *cocer,* [aθuθár] *azuzar,*
[θiθerón] *Cicerón,* etc.

8.5.1.1. SESEO.—En amplias regiones de habla española,
tanto en España como en Hispanoamérica, se desconoce este
fonema, que por razones de fonética histórica fue sustituido
por el lingualveolar /s/. Esta sustitución se conoce con el
nombre de *seseo,* y es admitido también como norma correcta de pronunciación. Con ello, la oposición θ/s queda neutralizada, confundiéndose /káθa/ *caza* con /kása/ *casa,* /θe-
r̄ár/ *cerrar* con /ser̄ár/ *serrar,* etc.

8.5.2. *Fricativa linguointerdental sonora.*—Este sonido es
un alófono del fonema dental, oclusivo, sonoro, /d/ y se representa fonéticamente por el signo [ð]. Para su articulación
el ápice de la lengua puede introducirse un poco menos que
para su homólogo sordo, [θ], entre los incisivos superiores e

inferiores, o bien puede formar la constricción contra la cara interior de los incisivos superiores. Las cuerdas vocales vibran.

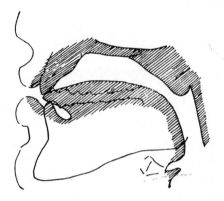

FIG. 41. Realización fricativa del fonema /d/ de /tódo/*todo.*

Se produce este alófono siempre que el fonema /d/ no vaya precedido de consonante nasal [n] ni de lateral [l], ni se encuentre después de pausa.

Ortográficamente responde siempre al grafema *d.*

Ejemplos: [káða] *cada,* [póða] *poda,* [láðo] *lado,* [kóðo] *codo,* etc.

8.6. LINGUOALVEOLARES

8.6.1. *Fricativa linguoalveolar sorda.*—Este fonema y sonido se representa fonéticamente por el signo [s]. En su articulación, el ápice de la lengua se acerca a los alvéolos, dejando una pequeña abertura por donde escapa el aire[1]. Las cuerdas vocales no vibran. Nótese que la [s] del inglés es predorsal, y en el caso de muchos hablantes, dental (en otros es

---

[1] Además de esta [s] ápicoalveolar, el español conoce otras variantes: las más extendidas son la predorsoalveolar y la predorsodental.

alveolar). Por tanto, la española ofrece una impresión bastante peculiar, acercándose a la [ʃ] del inglés [ʃi:] *she.*

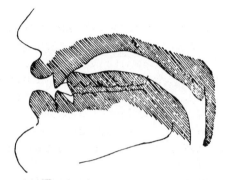

FIG. 42. Realización del fonema /s/ de /pasó/ *pasó.*

Se realiza como tal siempre que en la cadena hablada no preceda a ninguna consonante sonora.

Ortográficamente responde siempre a la grafía s [2].

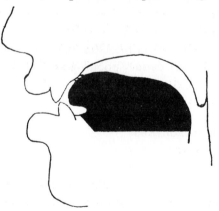

FIG. 43. [s] del inglés. (JONES.)

---

[2] Se realiza también como [s] la grafía x cuando precede a una consonante: [esténso] *extenso,* [tésto] *texto,* etc. Sin embargo, esta misma grafía, cuando va en posición intervocálica se realiza [ks] si la pronunciación es muy enfática, como [gs] o [ɣs] corrientemente: [éɣsito] *éxito,* [táɣsi] *taxi,* etc. (v. § 7.8).

Ejemplos: [kása] *casa,* [mésa] *mesa,* [pesár] *pesar,* [sála] *sala,* etc.

8.6.2. *Fricativa linguoalveolar sonorizada.*—Este sonido se representa fonéticamente por el símbolo [ş]. Es un alófono del fonema /s/, diferenciándose de éste por la vibración de las cuerdas vocales. Se produce casi siempre que el fonema /s/ precede a una consonante sonora, ya que, entonces, por descontrol de las cuerdas vocales, se transmite la sonorización a la consonante sorda. Esta realización no es constante.

Ortográficamente se representa, como el anterior, por la grafía *s.*

Ejemplos: [múşlo] *muslo,* [míşmo] *mismo,* [déşðe] *desde,* etcétera.

8.6.3. Aspiración.—En amplias zonas de España y de Hispanoamérica, cuando el fonema /s/ se encuentra en posición silábica postnuclear, no se realiza como [s], sino que se aspira, realizándose como una fricativa laríngea, [h]: [éhte] *este,* [pehkáðo] *pescado,* [míhmo] *mismo,* [dóh] *dos,* [gátoh] *gatos,* etc.; e incluso en algunas zonas desaparece totalmente, modificando el timbre de la vocal anterior hacia la abertura: [dɔ́] *dos,* [témɛ] *temes,* etc.

8.7. Caso especial de s + r

Cuando el fonema /s/ precede al /r̄/ se suele perder en la conversación coloquial [ir̄aél] *Israel,* [lar̄éxas] *las rejas,* [dó r̄eáles] *dos reales,* etc. En una pronunciación muy cuidada la resultante del contacto de estos dos sonidos es una consonante fricativa sonora asibilada. La desaparición, cada vez más generalizada, de esta asibilada se debe a una disminución del esfuerzo articulatorio y a ser totalmente extraña a la estructura fonológica de la lengua.

8.8. FRICATIVA LINGUOPALATAL SONORA

Este sonido y fonema se representa fonéticamente por el símbolo [ĵ]. En su articulación la lengua se adhiere a la parte media y anterior del paladar duro, dejando por el centro un pequeño canal por donde discurre el aire. Las cuerdas vocales vibran durante su emisión.

Nótese que el sonido español es algo más cerrado y tenso que la *y* del inglés *yes*.

Se representa ortográficamente por la grafía *y* o por *hi* cuando se encuentra en posición inicial de palabra.

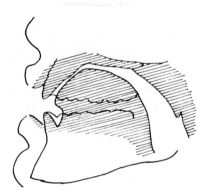

FIG. 44. Realización del fonema fricativo linguopalatal sonoro de *vaya*.

Se realiza como tal cuando no se encuentra precedido por pausa, por nasal o por lateral.

El fonema /ĵ/ posee también el alófono africado [ɟ]. Véase § 9.4.

Ejemplos [la ĵérβa] *hierba*, [kaĵáðo] *cayado*, [májo] *mayo*, etcétera.

8.9. LINGUOVELARES

8.9.1. *Fricativa linguovelar sorda.*—Este sonido y fonema se representa fonéticamente por el signo [x]. En su articulación el postdorso de la lengua se acerca al velo del paladar. Las cuerdas vocales no vibran. Este sonido tan característico del español no se produce por una simple aspiración, como es la aspirada /h/ del inglés, sino precisamente por la salida del aire a través de la estrechez que forman la lengua y el velo del del paladar (v. fig. 45).

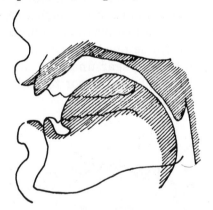

FIG. 45. Realización del fonema /x/ de /káxa/*caja.*

Ortográficamente responde a la grafía *j* ante cualquier vocal (*ja, je, ji, jo, ju*) o al grafema *g* ante las vocales *e, i* (*ge, gi*).

Ejemplos: [káxa] *caja,* [xitáno] *gitano,* [léxos] *lejos,* [kóxo] *cojo,* [koxér] *coger,* etc.

8.9.2. *Fricativa linguovelar sonora.*—Este sonido es un alófono del fonema oclusivo linguovelar sonoro, /g/. Fonéticamente se representa por el símbolo [ɣ].

Se realiza de esta manera, siempre que no vaya en posición inicial absoluta ni precedido de consonante nasal.

Ortográficamente siempre responde a las mismas grafías

que el fonema /g/, esto es, a *g* ante *a, o, u* (*ga, go, gu*) o a *gu* ante las vocales *e, i* (*gue, gui*).

Ejemplos: [áɣo] *hago*, [paɣár] *pagar*, [seɣír] *seguir*, [r̄eɣéro] *reguero*, etc.

8.10. Consejos prácticos para la pronunciacion de [β, ð, ɣ, x]

Las fricativas [β, ɣ, x] son tres sonidos que no existen en inglés, por lo que el anglohablante tendrá que poner mucha atención y hacer un gran esfuerzo de voluntad para llegar a dominarlos. Para la [β] se puede partir de una aspiración bilabial sorda, como para apagar una vela, añadiendo seguidamente sonoridad. Hay que evitar por todos los medios el pronunciar la [v] labiodental del inglés.

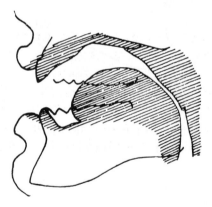

Fig. 46. Realización fricativa del fonema /g/ de /pága/*paga*.

La [ɣ] se parece bastante a la *r* fricativa *dorsal* del francés, o al ruido que se produce al hacer gárgaras suavemente.

La fricativa velar sorda [x] es parecida a la *ch* o *achlaut* del alemán *ach!* o del escocés *loch,* y, por lo tanto, bastante más fuertemente aspirada que la *h* inglesa. Recuérdese que el lugar de articulación no es la glotis sino el velo del paladar. La raíz o el postdorso de la lengua se acerca a éste de forma que se oye un claro ruido de fricación.

La linguointerdental [ð] no es más que la *th* de la palabra inglesa *the,* así, pues, no existen dificultades para su pronunciación. Aquí el problema es otro: el anglohablante tiende a pronunciar toda *d* ortográfica del español como una [d] oclusiva, y es necesario tener siempre presente que la *d* se pronuncia como [d], es decir, como oclusiva, sólo tras /n/ o /l/ y en posición inicial absoluta. En todos los demás casos, se pronuncia el alófono fricativo. Hasta que no se domine la pronunciación de la [ð] no se puede llegar a una pronunciación correcta del castellano.

8.11. OBSERVACIÓN

Recapitulando lo expuesto en este capítulo y en el anterior, debemos recordar que en español los fonemas /b, d, g/ conocen dos órdenes distintos de alófonos, que se encuentran normalmente en distribución complementaria: [b, d, g] y [β, ð, ɣ]; los primeros, oclusivos, se producen cuando van precedidos de pausa, de consonante nasal, y la [d], también, después de lateral; en las demás situaciones, se realizan como los fricativos [β, ð, ɣ].

[b]		[β]	
inicial tras pausa	*medial*	*inicial sin pausa*	*medial*
bar	tumba	una vez	lobo
vez	comba	el vino	alba
vino	ambos	la boca	árbol
boca	tambor	las veces	llave
burla	cambiar	dar bolas	malva

	[d]		[ð]	
inicial		*inicial*		
tras pausa	*medial*	*sin pausa*	*medial*	*final*
dar	ronda	ese día	pedal	verdad
día	conde	la dote	nadar	bondad
duna	toldo	esa duna	nudo	Madrid
dote	soldar	ese dedo	codo	virtud
deme	cundir	era de Di-	verde	usted
		namarca		

	[g]			[ɣ]	
inicial tras pausa		*medial*	*inicial sin pausa*		*medial*
guiso		hongo	los guisos		seguir
guerra		tengo	la guerra		pegué
gato		ganga	el gato		maga
goma		rango	esa goma		agua
gula		ponga	la gula		largo

[b]	[β]	[d]	[ð]	[g]	[ɣ]
bomba	boba	rondar	rodar	venga	vega
tromba	trova	mundo	mudo	mango	mago
camba	cava	toldo	todo	lengua	legua
tumbo	tubo	venda	veda	angosto	agosto
comba	coba	bando	vado	luengo	luego

8.12. EJERCICIOS FONÉTICOS [3]

[β]	[ð]		[ɣ]	[f]	
medial	*medial*	*final*	*medial*	*inicial*	*medial*
bebé	dedal	Madrid	paga	fuego	café
subida	dudar	verdad	mago	fuerte	refrán
llave	sudar	bondad	agua	favor	afán
bebida	pedal	virtud	seguir	falda	gafas
malva	rodear	usted	pegué	fiesta	rifa
calvo	nadar	David	largo	flor	sofá

---

[3] En la cinta, Ejercicio XX.

[θ] [s]

inicial	medial	final	inicial	medial	final
cine	raza	luz	sano	mesa	tres
cena	lazo	diez	sopa	casa	lunes
zona	caza	paz	seda	seso	dos
zorro	tiza	pez	sed	piso	tos
cinta	cocer	voz	sol	sosa	gas
cebra	mozo	vez	solo	masa	gafas

[ĵ] [x]

inicial	medial	inicial	medial
ya	rayo	jota	mejor
yacer	leyes	jaleo	mujer
yema	bueyes	gitano	monja
yugo	mayo	gente	bruja
yeso	ensayo	jinete	aguja
yo	sayo	juez	caja
yerno	haya	jefe	hija
hielo	playa	joven	ojo
yunta	raya	jamón	lejos
hierba	hoyo	junta	reja

8.13. EJERCICIOS FONOLÓGICOS [4]

/f/ se opone a /θ/, en cuanto *labial/dental*
se opone a /s/, en cuanto *labial/alveolar*
se opone a /x/, en cuanto *labial/velar*
se opone a /p, b/, como ya hemos visto.

---

[4] En la cinta, Ejercicio **XXI**.

f/θ		**f/s**		**f/x**	
café	cacé	fiesta	siesta	mofa	moja
forro	zorro	infecto	insecto	fusta	justa
rifar	rizar	rifa	risa	farra	jarra
afeite	aceite	gafas	gasas	faca	jaca
mofa	moza	feria	seria	rifa	rija
alfar	alzar	fofo	soso	fuego	juego
bufón	buzón	faca	saca		
fina	cina	fuerte	suerte		
foco	zoco	café	casé		

/θ/ se opone a /s/, en cuanto *dental/alveolar*

se opone a /x/, en cuanto *dental/velar*

se opone a /b, t/, como ya hemos visto.

θ/s		**θ/x**	
cocer	coser	caza	caja
caza	casa	mazo	majo
cegar	segar	cocer	coger
cerrar	serrar	raza	raja
cazo	caso	mozo	mojo
cocido	cosido	liza	lija
ciega	siega	reza	reja
bazo	vaso	rozo	rojo
haz	as	baza	baja
maza	masa	azar	ajar

/s/ se opone a /x/, en cuanto *alveolar/velar*

se opone a /c/, en cuanto *fricativa/africada*

se opone a /f, θ/, como ya hemos visto.

s/x		s/c	
coser	coger	oso	ocho
casa	caja	viso	bicho
masa	maja	asa	hacha
vaso	bajo	peso	pecho
oso	ojo	rasa	racha
aso	ajo	caso	cacho
cesa	ceja	casas	cachas
puso	pujo	gasas	gachas

/ǰ/ se opone a /c/, en cuanto *fricativa/africada*
se opone a /ɲ/, en cuanto *oral/nasal*
se opone a /ʎ/, en cuanto *central/lateral*

ǰ/c		ǰ/ɲ		ǰ/ʎ	
mayo	macho	cayada	cañada	hoya	olla
leyes	leches	ayo	año	poyo	pollo
haya	hacha	maya	maña	rayar	rallar
raya	racha	saya	saña	maya	malla
hoyo	ocho	huya	uña	haya	halla
sayo	sacho	bayo	baño	gayo	gallo
poyo	pocho	cuyo	cuño	huya	hulla

/x/ se opone a /k, g, f θ, s/, como ya hemos visto.

8.14. EJERCICIOS PRÁCTICOS DE PRONUNCIACIÓN: Apéndice II, Ejercicios XXII-XXVI.

IX

AFRICADAS

9.1. Características

Reciben el nombre de consonantes africadas aquellos sonidos en cuya articulación intervienen un momento oclusivo seguido de otro momento fricativo. Lo característico, además, de una consonante africada española es que tanto la oclusión como la fricación se producen en el mismo lugar articulatorio.

Durante su emisión el velo del paladar permanece adherido a la pared faríngea, por lo que el aire sale solamente a través de la cavidad bucal.

9.2. División

9.2.1. Desde el punto de vista *fonológico,* el castellano conoce sólo un fonema africado:

linguopalatal sordo... ... ...   /c/

9.2.2. Desde el punto de vista *fonético,* conocemos en castellano dos consonantes africadas:

linguopalatales ... ... $\begin{cases} \text{sorda [c], alófono de /c/} \\ \text{sonora [ɟ], alófono de /ǰ/} \end{cases}$

9.3. Africada linguopalatal sorda

Este sonido y fonema se representa fonéticamente bien por el símbolo [c], bien por el [t͡ʃ]. Nosotros preferimos usar el primero por las razones dadas al principio de este libro (página XXVII).

Para su articulación, el predorso de la lengua se pone en contacto con la región prepalatal, formando primeramente una oclusión perfecta en el momento tensivo, y a continuación, en el mismo momento, una fricación. Las cuerdas vocales no vibran.

Ortográficamente se representa por la grafía *ch.*

Los estudiantes de habla inglesa han de tener en cuenta que la articulación que ellos realizan es una linguoalveolar, es decir, que el lugar de articulación es bastante más anterior; deben acostumbrarse a retraer un poco la lengua de manera que su contacto se forme contra el paladar y no contra los alvéolos.

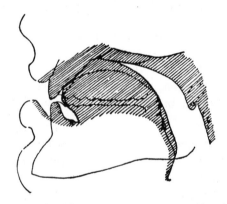

Fig. 47. Realización del fonema /c/ de /táca/*tacha.*

Ejemplos: [mucáco] *muchacho,* [cíko] *chico,* [péco] *pecho,* [cicaг̃ónes] *chicharrones,* etc.

9.4. AFRICADA LINGUOPALATAL SONORA

Su modo y lugar de articulación son los mismos que los de la correspondiente sorda, diferenciándose de ésta por la vibración de las cuerdas vocales, y, en general, por una duración menor.

Este sonido es un alófono del fonema fricativo linguopalatal central sonoro, /ǰ/; se produce como africado, cuando el fonema /ǰ/ se encuentra precedido por una consonante lateral [l] *l* o nasal [n] *n,* las que por influencia de la consonante palatal amplían su zona articulatoria de contacto, resultando algo palatalizadas. /ǰ/ también se pronuncia algunas veces como africado, cuando se encuentra en posición inicial absoluta, y se habla con algo de énfasis: [ɟó] *yo.*

Para su transcripción podemos utilizar bien el símbolo [ɟ], bien el [d͡ʒ]; por las razones aludidas al principio del libro, preferimos utilizar el primero.

Ortográficamente, al igual que el fonema /ǰ/, responde siempre a las grafías *y,* o *hi* en posición inicial.

Ejemplos: [kóɲɟuxe] *cónyuge,* [el ɟúɣo] *el yugo,* [el ɟélo] *el hielo,* etc.

9.5. EJERCICIOS FONÉTICOS [1]

[c]		[ɟ]
inicial	*medial*	*posición silábica explosiva*
chico	coche	cónyuge
choza	ocho	el yugo
charco	noche	un yunque
chasco	muchacho	el yeso
chisme	cuchara	el yerno
chiste	bicho	un hielo

9.6. EJERCICIOS FONOLÓGICOS [2]

El fonema /c/ se opone a /p/, en cuanto *interrupta linguopalatal/interrupta bilabial*
se opone a /t/, en cuanto *interrupta linguopalatal/interrupta linguodental*
se opone a /k/, en cuanto *interrupta linguopalatal/interrupta linguovelar.*

---

[1] En la cinta, Ejercicio XXVII.
[2] En la cinta. Ejercicio XXVIII.

Fonética y Fonología españolas

se opone a /ɲ/, en cuanto *oral/nasal*
se opone también a /ǰ/ y a /s/, como ya hemos
visto

c/p		c/t	
chapa	papa	pecho	peto
choza	poza	chapa	tapa
chico	pico	racha	rata
chillar	pillar	corcho	corto
chino	pino	cacho	cato
choca	poca	pincho	pinto
chata	pata	mocha	mota

c/k		c/ɲ	
choto	coto	hucha	uña
pecho	peco	cacho	caño
marcha	marca	lecho	leño
hecho	eco	pichón	piñón
hacha	haca	bicha	viña
chepa	quepa	acecha	aceña
tacho	taco	tacho	taño

9.7. EJERCICIOS PRÁCTICOS DE PRONUNCIACIÓN: Apéndice II,
Ejercicios **XXIX, XXX**.

X

NASALES

10.1. CARACTERÍSTICAS

Se da el nombre de consonantes nasales a aquel grupo de sonidos en los que se produce un cierre de los órganos articulatorios bucales y un pasaje rinofaríngeo abierto. El rasgo fundamental de las consonantes nasales es, por lo tanto, el paso del aire a través de las fosas nasales, ya que durante su emisión el velo del paladar no se adhiere a la pared faríngea, sino que permanece caído.

Todas las consonantes nasales en español son sonoras.

10.2. DIVISIÓN

10.2.1. Desde el punto de vista *fonológico* el español sólo posee tres fonemas nasales.

1.°) bilabial... ... ...   /m/
2.°) linguoalveolar ... ...   /n/
3.°) linguopalatal ... ...   /ɲ/

10.2.2. Desde el punto de vista *fonético,* según el lugar de articulación y los órganos que intervienen en su conformación, este grupo de sonidos se divide en:

1.°) bilabial... ... ...   [m]

2.°)
- linguoalveolar ... ...   [n]
- labiodental ... ...   [ɱ]
- linguointerdental ... ...   [n̪]
- linguodental... ... ...   [n̪]
- linguovelar ... ...   [ŋ]
- linguopalatalizado ... ...   [ŋ]

3.°) linguopalatal... ... ...   [ɲ]

10.3. NASAL BILABIAL SONORA

El fonema nasal bilabial sonoro, /m/, tiene sólo una realización, [m], que se produce únicamente en posición silábica prenuclear [1].

Para su emisión los dos labios se cierran impidiendo la salida del aire a través de ellos. El velo del paladar permanece caído y las cuerdas vocales vibran. Los órganos bucales adoptan para la producción de este sonido una posición análoga

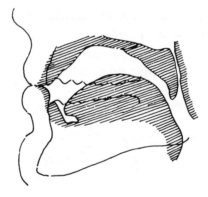

FIG. 48. Realización del fonema /m/ de /áma/ *ama*.

a la de la oclusiva bilabial sonora [b], con la única diferencia de que, en ésta, el velo del paladar permanece adherido a la pared faríngea, mientras que para la emisión de la nasal está separado de la mencionada pared (v. figs. 6, 7 y 48).

Desde el punto de vista ortográfico responde siempre a la grafía *m*.

Ejemplos: [mãmá] *mamá*, [káma] *cama*, [lóma] *loma*, [márθo] *marzo*, [asomár] *asomar*, etc.

---

[1] La otra consonante nasal bilabial, [m], se produce, a diferencia de ésta, en posición silábica postnuclear, y es alófono de /n/. Véase § 10.4.2.

10.4. ALÓFONOS DEL FONEMA NASAL LINGUOALVEOLAR /n/

10.4.1. *Nasal linguoalveolar sonora.*—Para la articulación de este sonido, que podemos considerar como la realización normal del fonema /n/, los rebordes de la lengua se adhieren a los molares superiores, cerrando la parte central de la cavidad bucal el ápice de la lengua contra los alvéolos. O sea, que la interrupción en la salida del aire fonador se realiza con el ápice lingual y los alvéolos. El velo del paladar permanece colgando, y las cuerdas vocales vibran.

Fonéticamente, se representa por el signo [n]. Ortográficamente, por medio del grafema *n*.

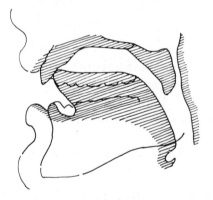

FIG. 49. Realización del fonema /n/ de /xitána/ *gitana.*

El fonema /n/ se realiza como linguoalveolar en los siguientes casos: 1.º, cuando se encuentra situado en posición silábica prenuclear: [kána] *cana* (ca-*n*a), [kóno] *cono* (co-*n*o); 2.º, cuando encontrándose en posición silábica postnuclear, va seguido de consonante alveolar o de vocal [insoθjáβle] *insociable* (i*n*-sociable), [únláðo] *un lado* (u*n*-lado), [onȓáðo] *honrado* (ho*n*-rado), [únéxe] *un eje* (u*n*-eje), etc.

10.4.2. *Nasal bilabial sonora.*—Se produce este alófono sólo en posición silábica postnuclear cuando a la nasal linguoalveolar le sigue una consonante bilabial: /b/, /p/ o /m/. Se representa fonéticamente por el símbolo [m], que responde asimismo a la grafía *n*.

Ejemplos: [úm báso] *un vaso,* [em pjé] *en pie,* [em bélxika] *en Bélgica,* [úmmáθo] = [úmáθo] *un mazo,* etc.

10.4.3. *Nasal labiodental sonora.*—Cuando el fonema nasal /n/ está situado ante una consonante labiodental fricativa sorda, /f/, asimila su lugar de articulación a la labiodental, originándose entonces un alófono *nasal labiodental,* que se transcribe por el símbolo [ɱ].

Ortográficamente se representa por la grafía *n*.

Ejemplos: [iɱfáme] *infame,* [úɱ faról] *un farol,* [koɱfúso], *confuso,* etc.

10.4.4. *Nasal linguointerdental sonora.* — Este alófono se produce cuando al fonema nasal /n/ le sigue una consonante fricativa linguointerdental sorda /θ/.

Fonéticamente se representa por el símbolo [n̪], respondiendo, como su fonema, a la grafía *n*.

Ejemplos: [ón̪θe] *once,* [lán̪θa] *lanza,* [ún̪ θapáto] *un zapato,* etc. Como es lógico, no se produce en las zonas de seseo.

10.4.5. *Nasal linguodental sonora.*—Este alófono se produce cuando el fonema nasal /n/ precede a una consonante linguodental, tanto sorda, /t/, como sonora, /d/.

Se representa fonéticamente por el símbolo [n̪]. Ortográficamente responde también a la grafía *n*.

Ejemplos: [dón̪de] *dónde,* [kwán̪do] *cuándo,* [dwén̪de] *duende,* [lén̪to] *lento,* [ún̪djén̪te] *un diente,* etc.

10.4.6. *Nasal palatalizada sonora.*—Cuando la nasal linguoalveolar es seguida por una consonante palatal [c] o [ɟ], aquélla queda ligeramente palatalizada, resultando el alófono [ŋ]. Realmente este alófono no posee el grado de palatali-

zación del sonido [ɲ] de [káɲa]. Ortográficamente responde a la grafía *n*.
Ejemplos: [úɲ cíko] *un chico*, [kóɲɟuxe] *cónyuge*, etc.

10.4.7. *Nasal linguovelar sonora.*—Se produce este alófono siempre que el fonema nasal precede a una consonante linguovelar, tanto sorda, /k/, como sonora /g/.

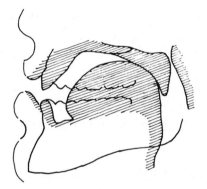

Fɪɢ. 50. Realización linguovelar del fonema
/n/ de /kóɴgo/ *Congo*.

Se representa fonéticamente por el signo [ŋ], que como los anteriores, responde a la grafía *n*.

Ejemplos: [mǎŋko] *manco*, [óŋgo] *hongo*, [eŋgranáxe] *engranaje*, [úŋ gáto] *un gato*, [úŋ kwéṇto] *un cuento*, etc.

10.4.8. Resumiendo, podemos decir que:

1) [n] + [s], [l], vocal, etc. = [n]
2) [n] + [p] o [b] = [mp] o [mb]
3) [n] + [f] = [ɱf]
4) [n] + [θ] = [ṇθ]
5) [n] + [t] o [d] = [ṇt] o [ṇd]
6) [n] + [c] o [ɟ] = [ɲc] o [ɲɟ]
7) [n] + [k] o [g] = [ŋk] o [ŋg]

10.5. NEUTRALIZACIÓN DE LOS FONEMAS NASALES EN POSICIÓN SILÁBICA IMPLOSIVA

Los fonemas nasales funcionan como tales únicamente cuando se encuentran en posición silábica prenuclear, explosiva: *cama - cana - caña* (/ká-ma, ká-na, ká-ɲa/). Por el contrario, cuando se encuentran en posición silábica implosiva, postnuclear, pierden sus caracteres distintivos. En esta situación, los fonemas /m, n, ɲ/ no se oponen, se neutralizan.

Por lo tanto, en el plano fonológico, es necesario sustituir todos los alófonos dados en el párrafo anterior por el archifonema /N/: /Nf, Nθ, Nt, Nd, Nk, Ng, Np, Nb, NC, Nǰ, Ns/.

10.6. NASAL LINGUOPALATAL SONORA

Este sonido y fonema se representa fonéticamente por el símbolo [ɲ].

Para su articulación, la región predorsal de la lengua se adhiere a la zona prepalatal, cerrando de este modo la sali-

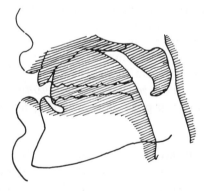

FIG. 51. Realización del fonema /ɲ/ de /espáɲa/ *España.*

da del aire. El velo del paladar desciende, saliendo el aire a través de las fosas nasales. Las cuerdas vocales vibran.

Ortográficamente se representa por la grafía *ñ.*

Ejemplos [káɲa] *caña,* [léɲa] *leña,* [péɲa] *peña,* etc.

10.7. E<small>JERCICIOS</small> F<small>ONÉTICOS</small> [2]

	[m]		[ɲ]
inicial	medial	medial	inicial
mano	ama	año	ñoño
María	cama	caña	
mapa	loma	leña	
mitra	rama	moño	
mono	rima	sueño	
mina	remo	niño	

	[n]	
inicial	medial	final
nudo	cana	también
nunca	rana	sartén
no	lana	común
nada	pena	ratón
nido	Sena	salón
nadar	cena	cañón

10.8. E<small>JERCICIOS</small> F<small>ONOLÓGICOS</small> [3]

/m/ se opone a /n/, en cuanto *bilabial/linguoalveolar*
se opone a /ɲ/, en cuanto *bilabial/linguopalatal*
se opone a /b/ y /p/, como ya hemos visto.

m/n		m/ɲ	
muevo	nuevo	amo	año
loma	lona	lema	leña
rama	rana	dama	daña
como	cono	rima	riña
mamar	manar	mimo	Miño
termo	terno		

---
[2] En la cinta, Ejercicio XXXI.
[3] En la cinta, Ejercicio XXXII.

Fonética y Fonología españolas

/n/ se opone a /ɲ/, en cuanto *linguoalveolar/linguopalatal*
se opone a /m/, como ya hemos visto

n/ɲ

sonar	soñar
pena	peña
una	uña
Sena	seña
sana	saña
mono	moño

m/n/ɲ

cama	cana	caña
limo	lino	liño (línea de árboles)
timo	tino	tiño
lama	lana	laña
mama	mana	maña
tima	tina	tiña

/ɲ/ se opone a /m/, /n/ y /c/, como ya hemos visto;
se distingue del grupo [n + j]

ɲ/n+j

Miño	minio
huraño	uranio
caña	cania (ortiga)
de moño	demonio
uñón	unión
piñón	(o)pinión

10.9. OBSERVACIÓN

Como puede verse por los ejemplos últimamente señala-
dos, la consonante /ɲ/, *ñ*, se distingue en castellano radicalmente del grupo consonántico *n + i*, por lo que los estudiantes anglosajones tendrán cuidado en pronunciar [léɲa] *leña,*

por ejemplo, y no [lénja], como es su tendencia. Para evitarlo es necesario realizar un contacto más amplio del dorso de la lengua contra el paladar duro: si en el grupo *n + i,* la zona de contacto viene localizada por el predorso lingual y la región alveoprepalatal, para el fonema /ɲ/ es menester poner en contacto toda la zona predorsal y algo de la mediodorsal, contra la zona pre y mediopalatal.

10.10. EJERCICIOS PRÁCTICOS DE PRONUNCIACIÓN: Apéndice II, Ejercicios XXXIII y XXXVII.

XI

LÍQUIDAS

11.1. Características

Bajo el concepto de consonantes líquidas se agrupa una serie de fonemas que sin dejar de ser sonidos articulados consonánticos poseen algunos rasgos propios de los vocálicos. Se podría decir en realidad que forman un grupo intermedio entre las consonantes y las vocales.

Las características principales de estos sonidos son:

1) Presentan la máxima abertura dentro de los sonidos consonánticos, sin llegar nunca a la abertura vocálica.

2) Como la cantidad de energía que se emplea en el movimiento de los músculos elevadores es relativamente pequeña, ya que el cierre de los órganos articulatorios no es muy grande, va a parar gran parte de ella a las cuerdas vocales, dando origen a un mayor número de vibraciones en unidad de tiempo, o lo que es lo mismo, a una frecuencia más alta. Las consonantes líquidas presentan el tono más alto de todo nuestro sistema consonántico.

Estas cualidades (tono más alto y mayor abertura de los órganos articulatorios) son las que aproximan los sonidos líquidos a los vocálicos.

3) A pesar de presentar una mayor abertura, no es, sin embargo, lo suficientemente grande como para que estén desprovistas del ruido de fricación propio de los sonidos continuos consonánticos.

Dentro de este grupo se integran las *consonantes laterales* y las *vibrantes*.

11.2. *L A T E R A L E S*

11.2.1. CARACTERÍSTICAS

Las consonantes laterales son aquellas en las que durante su emisión el aire fonador sale a través de un estrechamiento producido por un lado o los dos de la lengua y el reborde o los rebordes homólogos de la región pre o mediopalatal. Las cuerdas vocales vibran siempre durante la emisión de estos sonidos.

11.2.1.1. Desde el punto de vista *fonológico,* el español conoce sólo dos fonemas laterales:

     1.º)   linguopalatal ... ...   /ʎ/
     2.º)   linguoalveolar... ... ...   /l/

11.2.1.2. Desde el punto de vista *fonético,* se dividen en:

     1.º)   linguopalatal ... ...   [ʎ]

             ⎛ linguoalveolar... ... ...   [l]
     2.º) ⎨ linguodental ... ...   [l̦]
             ⎝ linguointerdental... ...   [l̪]

11.2.2. LATERAL LINGUOPALATAL SONORA

Para su articulación el ápice y los rebordes de la lengua se adhieren a los alvéolos y a las encías superiores, respectivamente, así como algo de la parte central de la lengua a la parte central del paladar, dejando un pequeño canal que desde el centro se dirige a la parte lateral de la lengua, por donde escapa el aire fonador. Esta linguopalatal lateral se distingue precisamente de la fricativa linguopalatal central en la dirección que adopta este pequeño canal: mientras que en la lateral, /ʎ/, el aire fonador sale por un lado, en la fricativa central, /ĵ/, el aire sale por el centro de la cavidad bucal.

Aparece siempre en posición silábica prenuclear.

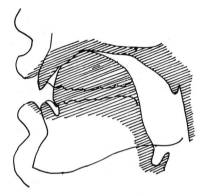

Fig. 52. Realización de la lateral linguopalatal en *callar*.

Este sonido y fonema se representa fonéticamente por el signo [ʎ]. Ortográficamente responde a la grafía *ll*.
Ejemplos: [ʎáβe] *llave*, [káʎe] *calle*, [θepíʎo] *cepillo*, etc.

11.2.2.1. *Observación.*—Los estudiantes de habla inglesa tienen que evitar la tendencia a pronunciar nuestra [ʎ] como [lj]. La [ʎ] se pronuncia en un tiempo, y con un amplio contacto de la lengua con el paladar duro.

11.2.2.2. Yeísmo.—En amplias regiones del dominio de habla española la lateral [ʎ] ha desaparecido, por un proceso de deslateralización, convirtiéndose en la fricativa central [ĵ]. De este modo, es frecuente oír [káĵe] por [káʎe] *calle*, [póĵo] por [póʎo] *pollo*, etc. En estas zonas, se ha perdido, por lo tanto, la distinción /ĵ/-/ʎ/, eliminándose oposiciones como *hoya - olla*, *poyo - pollo*, etc. Este fenómeno se conoce con el nombre de *yeísmo*.

11.2.3. LATERAL LINGOALVEOLAR SONORA

Para su articulación el ápice y los rebordes de la lengua se adhieren a los alvéolos y a las encías, respectivamente, a excepción de una pequeña zona en una parte lateral de la lengua, o en las dos, por donde sale el aire fonador. El velo del paladar permanece adherido a la pared faríngea. Las cuerdas vocales vibran.

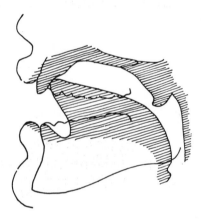

FIG. 53. Realización del fonema /l/ de /málaga/ *Málaga*.

La [l] española tiene un timbre mucho más agudo que la *l* "velar" inglesa. Esta diferencia de timbre es debida a la posición que adopta la lengua para la articulación de una y otra consonante: para la [l] castellana el dorso de la lengua está más elevado, presentando un timbre claro y agudo, mientras que para la inglesa, el dorso de la lengua presenta una notable concavidad, dando como resultado un timbre mucho más oscuro (v. las figs. 53 y 54).

El sonido o el alófono [l] es una realización del fonema /l/. Ortográficamente viene dado por la grafía *l*.

11.2.4. ALÓFONOS DEL FONEMA LATERAL LINGUOALVEOLAR SO-
NORO /l/

11.2.4.1. *Lateral linguoalveolar sonora.*—[l], ya descrita
más arriba, en el § 11.2.3.

Se realiza como tal: 1.º, cuando se encuentra en posición
silábica prenuclear: [ála] *ala* (a-*l*a) (a-*l*a), [pála] *pala* (pa-*l*a);
2.º, cuando encontrándose en posición silábica postnuclear,
va seguido de vocal, de pausa o de cualquier consonante que
no sea [t, d, θ]: [mál] *mal*, [el áįre] *el aire*, [alféreθ] *alférez*,
[púlpo] *pulpo, etc.* [1].

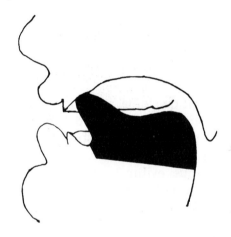

FIG. 54. [l] velar del inglés. (Según JONES.)

11.2.4.2. *Lateral linguointerdental sonora.* — Se produce
este alófono cuando encontrándose el fonema lateral /l/ en
posición silábica postnuclear precede al fonema fricativo linguointerdental sordo, /θ/.

Este alófono se representa por el símbolo fonético [l̪], y
ortográficamente por la grafía *l*, igual que su fonema.

_____

[1] Cuando /l/ se encuentra ante las africadas linguopalatales, se palataliza.

Ejemplos: [kalθáðo] *calzado,* [dúl̯θe] *dulce,* [r̄eal̯θáðo] *realzado,* etc. Como es lógico, no se produce en las zonas de seseo.

11.2.4.3. *Lateral linguodental sonora.* — Cuando encontrándose el fonema lateral /l/ en posición silábica postnuclear, precede a una consonante linguodental, tanto sorda, /t/, como sonora /d/. Entonces cambia, por asimilación, su lugar articulatorio desde la zona alveolar a la dental, dando como resultado el alófono lateral linguodental que representamos fonéticamente por [l̯]. Ortográficamente responde también a la grafía *l*.

Ejemplos: [tól̯do] *toldo,* [el̯ tóro] *el toro,* [kál̯do], *caldo,* etcétera.

11.2.5. OBSERVACIONES

En posición final de sílaba, los anglohablantes suelen pronunciar la *l* con el timbre "oscuro" del inglés, es decir, con la raíz de la lengua retirada hacia atrás y hacia abajo, lo que da al sonido una resonancia velar, muy distinta a la de la *l* española. Tienen que evitar la referida pronunciación, haciendo que la masa de la lengua se mueva hacia adelante y hacia arriba.

11.2.6. EJERCICIOS FONÉTICOS [2]

[ʎ]		[l]		
inicial	*medial*	*inicial*	*medial*	*final*
llama	calle	lado	palo	papel
llave	rollo	lobo	pila	árbol
llueve	pollo	lago	tela	fácil
llorar	sello	lima	cielo	hábil
llegar	bello	loma	filo	marfil
llamar	quilla	lucha	melón	panal

---

[2] En la cinta, Ejercicio XXXIV.

11.2.7. EJERCICIOS FONOLÓGICOS [3]

/ʎ/ se opone a /l/, en cuanto *linguopalatal/linguoalveolar*
se opone a /r/, en cuanto *continua/interrupta simple*
se opone a /r̄/, en cuanto *continua/interrupta múltiple*
se opone a /ɲ/, en cuanto *oral/nasal*
se opone, por el sistema general de las conmutaciones a
todas las demás consonantes, en cuanto *líquida/no lí-*
quida.

ʎ/l		ʎ/r	
bello	velo	milla	mira
malla	mala	ralla	rara
llave	lave	molla	mora
valle	vale	sella	sera
lloro	loro	pilla	pira

ʎ/r̄		ʎ/ɲ	
valla	barra	pilla	piña
milla	mirra	pella	peña
valle	barre	calla	caña
callo	carro	villa	viña
hallas	arras	malla	maña
llama	rama	hulla	uña
llana	rana	callo	caño
lluvia	rubia	callada	cañada
bello	berro	hallo	año

/l/ se opone a /r/, en cuanto *continua/interrupta simple*
se opone a /r̄/, en cuanto *continua/interrupta múltiple*
se opone a /n/, en cuanto *oral/nasal*
se opone a /ʎ/, como ya hemos visto, y a todas las demás consonantes no líquidas

---

[3] En la cinta, Ejercicio XXXV.

	l/r		l/r̄
pelo	pero	pelo	perro
tila	tira	calo	carro
toldo	tordo	pala	parra
tala	tara	celo	cerro
mulo	muro	polo	porro
tolva	torva	caleta	carreta
alma	arma	lavo	rabo
salga	sarga		

ʎ/l/r

pollo	polo	poro
valla	bala	vara
callo	calo	caro
halla	ala	ara
talla	tala	tara
rallo	ralo	raro
pella	pela	pera
bollo	bolo	boro
olla	ola	ora
pilla	pila	pira

11.2.8. EJERCICIOS PRÁCTICOS DE PRONUNCIACIÓN: Apéndice II, Ejercicios XXXVI, XXXVII.

11.3. *V I B R A N T E S*

11.3.1. CARACTERÍSTICAS

Se da el nombre de consonantes vibrantes a aquel grupo de sonidos cuya característica principal es la de poseer una o varias interrupciones momentáneas durante la salida del aire fonador, producidas por contacto entre el ápice lingual y los alvéolos. Las cuerdas vocales vibran siempre durante la emisión de estos sonidos.

11.3.1.1. Desde el punto de vista *fonológico,* el español conoce dos fonemas vibrantes:

    1.°) simple ... ... /r/
    2.°) múltiple... ... ... /r̄/

11.3.1.2. Desde el punto de vista *fonético,* el español posee dos sonidos vibrantes:

    1.°) simple ... ... [r]
    2.°) múltiple... ... ... [r̄]

11.3.2. VIBRANTE SIMPLE

Su articulación se caracteriza por la formación de una breve oclusión del ápice de la lengua contra los alvéolos.

Este sonido y fonema responde al símbolo fonético [r] y a la grafía *r*. Se produce de este modo sólo en posición interior de palabra.

Ejemplos: [péro] *pero,* [kóro] *coro,* [kamaréro] *camarero,* etcétera.

Observación.—Para su correcta pronunciación los norteamericanos deben desterrar de su mente todo recuerdo de la *r* retrofleja de su lengua natal. Cuando los anglohablantes

que se dejan arrastrar por esta *r* propia de su idioma pronuncian palabras españolas como *amar, comer, repetir,* suelen
deformar las vocales anteriores a la vibrante porque les aña-
den el timbre peculiar de la retrofleja inglesa ("r-coloring"),
a la vez que las hacen demasiado largas. Esto desvirtúa por

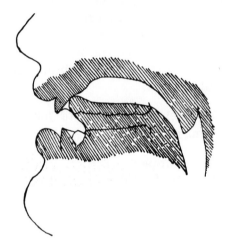

FIG. 55. Realización del primer fonema /r/ de /arár/ *arar.*

completo el timbre de las vocales españolas, y es un defecto
que tienen que evitar. La vibrante simple se parece más a
la *d* o la *t* de *bidder, butter,* o a la *r* de *very* pronunciada con
estilo británico afectado.

11.3.3. VIBRANTE MÚLTIPLE

Su articulación se caracteriza por la formación de dos o
más oclusiones del ápice de la lengua contra los alvéolos.
Fonéticamente se transcribe por el símbolo [r̄]. Se produce
como tal cuando se encuentra en principio de palabra, en
posición medial, o precedida de las consonantes [n, l].

Ortográficamente responde bien a la grafía *r* cuando se encuentra en posición inicial de palabra, o en medial precedida de *n* o *l*, o bien a la grafía *rr*, cuando se halla en posición medial.

Ejemplos: [tořeón] *torreón*, [tořéro] *torrero*, [péřo] *perro*, [řóka] *roca*, [enříke] *Enrique*, [alřeðeðór] *alrededor*, etc.

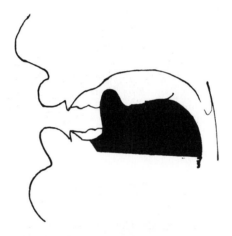

FIG. 56. [r] retrofleja del inglés. (Según JONES.)

11.3.4. NEUTRALIZACIÓN DE LOS FONEMAS VIBRANTES EN POSICIÓN SILÁBICA IMPLOSIVA

Cuando una consonante vibrante se encuentra en posición implosiva, se realiza como una variante alofónica de cualquiera de las dos vibrantes, ya que según un mayor o menor énfasis puede resultar simple, múltiple o fricativa: [pwérta], [pwéřta], [pwéɹta] *puerta*. En esta posición final las consonantes vibrantes quedan neutralizadas, resultando un archifonema vibrante: /puéRta/.

11.3.5. EJERCICIOS FONÉTICOS [4]

	[r̄]	[r] o [r̄]	[r]
inicial	*medial*	*final*	*medial*
rama	carro	humor	pera
rima	torre	mujer	poro
río	guerra	deber	coro
risa	forro	corto	muro
remo	sierra	torpe	toro
rosa	barro	termo	cero

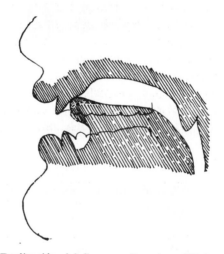

FIG. 57. Realización del fonema vibrante múltiple en *parra*.

---

[4] En la cinta, Ejercicio XXXVIII.

11.3.6. Ejercicios fonológicos [5]

Sólo nos queda ya por ver la oposición que existe entre las dos consonantes vibrantes:

r/r̄

coro	corro	para	parra
caro	carro	poro	porro
coral	corral	moro	morro
foro	forro	vara	barra
cero	cerro	torero	torrero
pera	perra	carera	carrera
ahora	ahorra	careta	carreta
mira	mirra		

11.3.7. Observación — En la *observación* del epígrafe 11.3.2. hemos indicado que nuestra [r], aunque no igual, se parece algo a las *d* o *t* de *bidder* o *butter;* sin embargo, conviene insistir sobre la radical diferencia que en español existe entre /d/ y /r/, ya que mientras la primera se pronuncia con el ápice de la lengua entre los incisivos, la segunda es una rápida oclusión que se forma entre el ápice lingual y los alvéolos. Con el objeto de poder ver más claramente esta diferencia damos a continuación unos contrastes entre r/d:

cara	cada	muro	mudo
toro	todo	parecer	padecer
poro	podo	rara	rada
cera	ceda	cero	cedo
vera	veda	coro	codo
moro	modo	ara	hada
loro	lodo	duro	dudo
sera	seda	ira	ida
miro	mido	hora	oda
varear	vadear	pira	pida

11.3.8. Ejercicios prácticos de pronunciación: Apéndice II, Ejercicios XL, XLI.

---

[5] En la cinta, Ejercicio XXXIX.

XII

LA SÍLABA

12.1. Hemos ido estudiando en los capítulos anteriores los fonemas que constituyen el sistema castellano de un modo aislado, describiendo sus propiedades fonéticas y funcionales. Pero el fonema aislado no es, generalmente, por él solo, un vehículo de comunicación, sino agrupado en unidades progresivamente superiores. La primera unidad superior al fonema, y que puede abarcar uno o varios, es la sílaba. Su constitución, pero sobre todo su delimitación, es un problema que está casi sin resolver.

12.2. CONSTITUCIÓN

En la formación de toda sílaba intervienen tres fases:

12.2.1. Una *fase inicial* que tiende desde la cerrazón de los órganos articulatorios hacia una mayor abertura. Esta primera parte también es conocida con el nombre de *explosión*.

12.2.2. Una *fase culminante o central*, llamada *núcleo silábico*, que es el eje y el sostén de la sílaba, y en el que concurren varias propiedades que conviene destacar:

1) Ofrece la facultad de poder prolongar cuantitativamente el fonema que constituye el núcleo silábico.

2) Presenta un máximo de abertura.

3) Presenta un máximo de sonoridad, y, por lo tanto, de perceptibilidad.

4) Presenta un máximo de intensidad.

12.2.3. Una *fase final* que tiende desde la abertura hacia la cerrazón. Esta última parte es conocida con el nombre de *implosión*.

12.3. Ordenación de los fonemas dentro de la sílaba

Los fonemas se agrupan en la sílaba alrededor del núcleo, que, como acabamos de ver, presenta, entre otras cualidades, un máximo de abertura y de sonoridad. La manera de ordenarse los fonemas en torno al núcleo se regula conforme a las siguientes características:

12.3.1. *Desde el punto de vista acústico:*

1) Los fonemas que se encuentran antes del núcleo silábico presentan un aumento de intensidad desde un mínimo intensivo hasta un máximo en el núcleo.

2) Los fonemas que se hallan después del núcleo silábico presentan una disminución intensiva, desde el máximo, que radica en el núcleo, hasta un mínimo.

12.3.2. *Desde el punto de vista articulatorio:*

1) Los fonemas que se encuentran antes del núcleo silábico presentan una abertura gradual de los órganos articulatorios desde un mínimo hasta un máximo que se encuentra localizado en el núcleo.

2) Los fonemas que se encuentran después del núcleo silábico presentan un cierre gradual de los órganos articulatorios desde una abertura máxima hasta una abertura mínima.

12.3.3. *Desde el punto de vista espiratorio:*

1) Los fonemas que se encuentran antes del núcleo silábico presentan un aumento gradual de la presión del aire, desde un mínimo, hasta un máximo en el núcleo.

2) Los fonemas que se encuentran después del núcleo silábico presentan una disminución gradual de la presión del aire, desde un máximo en el núcleo, hasta un mínimo.

12.3.4. *Desde el punto de vista de la tensión muscular:*

1) Los fonemas que se encuentran situados antes del núcleo silábico presentan un aumento gradual de la tensión muscular desde un mínimo hasta un máximo en el núcleo.

2) Los fonemas que se encuentran situados después del núcleo silábico presentan un descenso gradual de la tensión desde un máximo en el núcleo hasta un mínimo.

En una palabra como *transportar,* por ejemplo, que está constituida por tres sílabas, *trans-por-tar,* puede verse claramente cómo se cumplen las propiedades que hemos enunciado antes:

En la primera sílaba, *trans,* existe un aumento gradual de la intensidad desde un mínimo en la oclusiva linguodental [t], hasta un máximo en la vocal [a], pues la vocal, portadora siempre en español de una mayor o menor carga acentual, es también la que posee la mayor intensidad de los fonemas que componen la sílaba. Desde este máximo localizado en la vocal, en el núcleo, la intensidad disminuye gradualmente a medida que nos alejamos de ella. Lo mismo puede decirse de las sílabas *por* y *tar.*

En las mismas sílabas se puede observar el juego de aumento y disminución en la abertura de los órganos articulatorios. La primera sílaba, por ejemplo, muestra una abertura gradual desde una perfecta cerrazón en la oclusiva linguodental sorda [t], a una abertura relativa en la líquida vibrante simple, [r], y a una máxima abertura en la vocal [a]; a partir de este punto se estrechan gradualmente los órganos articulatorios hacia un cierre relativo en la nasal linguoalveolar [n] (la lengua adopta una forma cóncava y el paso rinofaríngeo está abierto), y más estrecho aún en la fricativa linguoalveolar sorda [s]. Lo mismo podemos decir de las otras sílabas.

El esquema silábico de esta palabra sería, aproximadamente, el indicado en la figura 58.

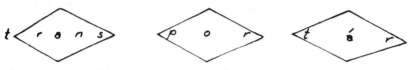

FIG. 58. Esquema silábico de *transportar*.

12.4. LÍMITES SILÁBICOS

Los límites entre los que podríamos considerar la existencia de una sílaba, o la transición de una sílaba a otra, vendrían expresados por las siguientes características:

1.º) Por el paso de la abertura a la estrechez, y viceversa; es decir, un mínimo de abertura entre dos máximos.

2.º) Un mínimo de tensión articulatoria entre dos máximos.

3.º) Un mínimo de sonoridad entre dos máximos.

12.5. SÍLABA ABIERTA Y SÍLABA CERRADA

La sílaba que termina en vocal, es decir, en el mismo núcleo silábico, recibe la denominación de *abierta,* como, por ejemplo, CA-SA, *es*-TU-*diar,* RA-*zón,* etc., y la vocal se llama *libre.*

Por el contrario, la sílaba que termina en una o más consonantes recibe el nombre de *cerrada,* como, por ejemplo, TRANS-*fe*-RIR, *co*-RRER, TER-*mi*-NAR, etc., y a la vocal de esta sílaba se le llama *trabada.*

12.6. SÍLABA ACENTUADA O TÓNICA Y SÍLABA INACENTUADA O ÁTONA

Aquellas sílabas cuyo núcleo silábico soporta la intensidad de la palabra o grupo fónico en que se encuentran situadas, reciben el nombre de *acentuadas* o *tónicas,* como, por ejemplo, *cama*-RE-*ro, re-fe*-RIR, *ma*-ES-*tro,* etc.

Por el contrario, las sílabas cuyo núcleo silábico no posee una intensidad del mismo grado que el de las tónicas, reciben el nombre de *inacentuadas* o *átonas,* como, por ejemplo, SOL-*da*-DOS, AU-TO-*mó*-VI-LES, etc.

12.7. Características de la sílaba española

12.7.1. *Conforme a su capacidad de poder constituir sílabas o no,* los fonemas españoles se pueden clasificar en: *silábicos* (vocales) y *no silábicos* (consonantes): las consonantes nunca pueden formar núcleo silábico, mientras que las vocales pueden ser núcleos silábicos y márgenes silábicos, como en el caso de los diptongos y triptongos.

12.7.2. *La sílaba, según el número de fonemas que la constituyan,* puede ser: *monofonemática,* cuando sólo tiene uno, como A - É - re - o, *aéreo; polifonemáticas,* cuando tienen más de uno: LE - a, *lea.*

12.7.3. *La clasificación tipológica de las sílabas españolas* en orden de mayor a menor frecuencia, se estructura de la siguiente manera: CV (consonante-vocal), CVC (consonante-vocal-consonante), V (vocal), CCV, VC, CCVC, VCC, CVCC, CCVCC, o bien cuando el núcleo silábico lo conforma un diptongo, en: CD (consonante-diptongo), CDC, CCD, D, CCDC, DC.

12.7.4. El español muestra una clara *tendencia a la sílaba abierta,* es decir, predomina la terminación de una sílaba en vocal, y su comienzo en consonante.

12.8. La división silábica en español

La división de la sílaba en español responde a las siguientes características:

12.8.1. *Cuando una consonante se encuentra entre dos
vocales,* en virtud de la tendencia que posee el español a la
sílaba abierta, la consonante se agrupa con la vocal siguiente: [ká-sa] *casa,* [mi-rá-ron] *miraron,* [de-mó-ra] *demora,* etc.

12.8.2. *Cuando dos consonantes se encuentran entre dos
vocales,* hay que tener en cuenta:
    1.°) Son inseparables los grupos que están formados por
consonantes bilabiales o labiodentales más una líquida:

/pr, br, pl, bl, fr, fl/

como: [o-prí-mo] *oprimo,* [o-βré-ro] *obrero,* [a-plómo] *aplo-
mo,* [a-βláṇ-do] *ablando,* ⌊ká-fre] *cafre,* [a-flo-xár] *aflojar,* etc.
    Igualmente los formados por consonantes linguovelares
más líquidas:

/gr, gl, kr, kl/

como: [lo-ɣrár] *lograr,* [lá-kre] *lacre,* [a-kla-már] *aclamar,*
[a-ɣru-pár] *agrupar,* etc.
    Y, finalmente, los formados por consonantes linguodenta-
les más vibrantes:

/dr, tr/

como: [kwá-ðro] *cuadro,* [kwá-tro] *cuatro,* etc.
    2.°) Cualquier otra pareja de consonantes que se encuen-
tre entre dos vocales, queda dividida, de manera que la primera consonante cierra la sílaba inmediatamente anterior,
y la segunda forma parte de la rama explosiva de la sílaba siguiente. Por ejemplo: [in-se-pa-rá-βle] *inseparable,* [kwéṇ-ta]
cuenta, [ar-tís-ta] *artista,* etc.

12.8.3. *Cuando tres o más consonantes se encuentran entre dos vocales,* puede ocurrir:
    1.°) Que las dos últimas formen un grupo consonántico,
una de las cuales sea una líquida: [iɱ-fla-már] *inflamar,*
[koṇ-tra-ér] *contraer,* [em-ple-á-ðos] *empleados,* [eŋ-glo-βár]

englobar, etc., en donde vemos cómo permanece inseparable el grupo de *consonante + líquida*.

2.º) Que las dos primeras formen un grupo constituido por nasal más una fricativa linguoalveolar [ns], también inseparable en estas circunstancias: [kons-tru-ír] *construir*, [ins-tau̯-rár] *instaurar*, [kons-tár] *constar*, etc.

12.8.4. *El contacto entre dos vocales que no sean altas* da origen a dos sílabas distintas: [a-é-re-o] *aéreo*, [pe-le-ár] *pelear*, [lé-a] *lea*, etc.

12.8.5. *El contacto entre una vocal baja o media y otra alta o viceversa*, si forma diptongo, constituye una sílaba: [ái̯-re] *aire*, [eu̯-ró-pa] *Europa*, [á-sja] *Asia*, [bwé-no] *bueno*, etc.

12.8.6. *Un triptongo*, del mismo modo que el diptongo, forma sílaba o parte de ella: [a-so-θjái̯s] *asociáis*, [bwéi̯] *buey*, etcétera.

12.8.7. *Cuando se encuentran en contacto una vocal no cerrada inacentuada y una vocal cerrada acentuada*, se originan dos sílabas distintas: [a-βí-a] *había*, [pa-ís] *país*, [r̄e-ú-no] *reúno*, [ba-úl] *baúl*, etc.

12.9. EJERCICIO PRÁCTICO DE PRONUNCIACIÓN: Apéndice II, Ejercicio XLII.

XIII

FONOSINTAXIS

13.1. DEFINICIÓN

Bajo el nombre de fonosintaxis estudiamos las modificaciones que sufren los fonemas al agruparse, con las palabras, dentro del período.

Hasta ahora hemos visto cómo la *sílaba* resultaba ser la unidad de orden superior al fonema. Pues bien, la *palabra* es el orden superior a la sílaba, ya que está constituida por éstas; y el orden inmediatamente superior a la palabra es el *sirrema*.

13.2. SIRREMA

Recibe el nombre de sirrema la agrupación de dos o más palabras que constituyen una unidad gramatical perfecta, unidad tonal, unidad de sentido, y que además forman la unidad sintáctica intermedia entre la palabra y la frase.

Las palabras que constituyen un sirrema permanecen siempre íntimamente unidas, no permitiendo la realización de una pausa en su interior. Forman sirrema las siguientes partes de la oración:

1) *el artículo y el sustantivo:* [elkár̄o] el carro, [laşmésas] las mesas, [elamór] el amor, etc. [1]

2) *el pronombre átono y el elemento que en la cadena hablada viene a continuación de él o al que se une:* [leðixé-

---

[1] Nótese que en esta notación transcribimos unidas las palabras que dan origen al sirrema.

roŋ ke sekomjése‿elpán] le dijeron *que* se comiese *el pan,* [díle ke βéŋga] dile *que venga.*

3) *el adjetivo y el sustantivo,* o viceversa: [el péřoβláŋ-ko] *el* perro blanco.

4) *el sustantivo y el complemento determinativo:* [el péřoðelwís] *el* perro de Luis.

5) *los tiempos compuestos de los verbos:* [ékomíðo mwí βjén] he comido *muy bien.*

6) *los elementos constitutivos de las perífrasis o frases verbales:* [émoşðexáðoðesér nosótroş míşmos] hemos dejado de ser *nosotros mismos.*

7) *el adverbio y su verbo, adjetivo o adverbio:* [pasárombjén loşmáşðestakáðosalúmnos] pasaron bien *los* más destacados *alumnos.*

8) *la conjunción y la parte del discurso que introduce:* [xwán ipéðro] *Juan y Pedro.*

9) *la preposición con su término:* [la káma ðe‿aṇtónjo] *la cama* de Antonio, [bói̯ koŋxwán] *voy* con Juan.

En realidad, la necesidad de agruparse de algunas de estas partes del discurso que hemos enumerado —artículo, pronombre átono, adjetivos posesivos apocopados, preposiciones y conjunciones— responde, como veremos en el capítulo siguiente, a una necesidad de apoyo acentual. Todos estos miembros átonos, precisamente por la carencia de acento —alguien ha dicho que el acento es el alma de las palabras—, no pueden tener una subsistencia fónica por sí mismos, no pueden vivir aislados, porque les falta el espíritu necesario para esa condición; de ahí la necesidad imperiosa que tienen de apoyarse en otro elemento, en otra palabra que lleve acento, y formar con ella, como consecuencia, un núcleo indisoluble.

Fuera de estos casos, las relaciones entre las funciones de estas partes de la oración (sujeto-verbo, verbo-complementos, etc.) están sometidas a grandes variaciones, pudiendo concluir que no existe ningún grado de fusión entre ellas;

así, su unión o su separación es completamente arbitraria, en
contraposición a las partes antes mencionadas.

Por consiguiente, para nuestro caso concreto de ver en la
sintaxis de la frase los elementos que debemos considerar
como un todo homogéneo, como un núcleo inseparable, tendremos en cuenta los nueve casos antes mencionados, pues
son ellos únicamente los que permanecen siempre unidos.

13.3. Como *otro rasgo fonosintáctico* propio del español
y de las lenguas románicas hay que destacar la facilidad de
entrelazamiento y unión que existe entre sus vocablos. Así
como, por ejemplo, las lenguas anglosajona y germánica tienden a delimitar las palabras, a trazar unas fronteras lexemá-
ticas por medio de variados recursos fonéticos —golpe de glotis en las vocales iniciales, aspiración de las oclusivas sordas
iniciales, ensordecimiento de las oclusivas sonoras iniciales,
etcétera—, la cadena hablada española es una verdadera con-
catenación de vocablos sin que se produzca entre ellos ningún
artificio fonético que los separe, a excepción, claro está, de
la pausa.

Los hablantes anglosajones habrán de tener especial cuidado en la emisión de las vocales iniciales sobre todo, ya que
como el inglés posee la característica fonética del golpe de
glotis, hace que en su pronunciación española de las palabras
que poseen una vocal inicial, anteceda a ésta un golpe de
glotis bastante acusado que deberán suprimir.

En un ejemplo, como [losómbresónãmáβles] *los hombres
son amables,* la tendencia general del anglohablante es la
de realizar esta expresión de la siguiente manera: [los?óm-
bressón?amáβles] —señalamos por el signo [?] el golpe de
glotis— intercalando un golpe de glotis entre el final del sonido anterior y la vocal inicial de la palabra siguiente, que
no debe existir.

La manera de corregir esta tendencia es la de considerar
estas palabras aisladas como si formasen una sola, e incluso
escribiéndolas una a continuación de la otra, íntimamente

unidas. Esto en el caso de que el sujeto haya aprendido la lengua por medio del procedimiento clásico de silabeos, lecturas, etc. De ahí que los profesores tendrán especial cuidado de dar absoluto predominio al método auditivo, haciéndoles repetir los grupos de palabras formando una unidad coherente. Es absurdo enseñarles a decir: [lós ?ómbres] *los hombres,* cuando deben decir [losómbres]. Si se les acostumbra a decir de esta última manera se habrán evitado dos errores fonéticos: en primer lugar, la tendencia a acentuar el artículo determinante *los,* y en segundo lugar, el golpe de glotis, que aparecerá casi necesariamente ante la vocal [o] de [ómbres].

13.4. CONCURRENCIA DE SONIDOS HOMÓLOGOS

Como un hecho directamente derivado de lo que acabamos de exponer se nos aparece en castellano la consideración del *encuentro de fonemas homólogos;* esto es, ver qué ocurre cuando al final de una palabra aparece un fonema determinado y al principio de la siguiente se repite el mismo fonema.

13.4.1. CONCURRENCIA DE DOS VOCALES HOMÓLOGAS

1) *Cuando las dos vocales que se hallan en contacto son tónicas,* la solución preferente es la de *una vocal larga tónica.* Ejemplo:

[papá:βeníðo] *papá ha venido*

2) *Cuando las dos vocales que se hallan en contacto son átonas o inacentuadas,* la preferencia es hacia el resultado de *una vocal breve átona.* Ejemplo:

[a niŋgúnatjéņde] *a ninguna atiende*

[de frútaxéna / la kapáca ʎéna] *de fruta ajena, la capacha llena*

[laβuņdáņθja / dářoɣáņθja] *la abundancia da arrogancia*

3) *Cuando concurren dos vocales homólogas átonas o in-*
acentuadas, pero una de ellas pertenece a un vocablo átono
(artículos determinantes, preposiciones, conjunciones, etc.),
el resultado es también *una vocal breve inacentuada*. Ejemplo:

[pararíβa‿i̥ paraβáxo] *para arriba y para abajo*
[pón el póstren la mésa] *pon el postre en la mesa*

4) *Cuando concurren dos vocales iguales de las que la*
primera es átona o inacentuada y la segunda tónica o acen-
tuada, la solución preferente es *una vocal larga acentuada.*
Ejemplo:

[eŋ káða tjéřa sú:so] *en cada tierra su uso*
[está‿en ló:n̥do] *está en lo hondo*
[doṇdé:n̥tra‿el sól nó ái̥ mikróβjos] *donde entra el sol*
no hay microbios
[mwére kansáðoðé:ʎa] *muere cansado de ella*

5) *Cuando concurren dos vocales homólogas, la primera*
acentuada y la segunda inacentuada, la solución preferente
es *una vocal breve tónica.* Ejemplo:

[bjén sél páŋ kekjéres] *bien sé el pan que quieres*
[xwán estáléyre] *Juan está alegre*

13.4.2. Concurrencia de dos consonantes homólogas

1) *Cuando dos consonantes fricativas linguoalveolares*
sordas [s] se encuentran en contacto, la solución es *una sola*
[s], cuya duración viene a ser aproximadamente la misma
que la de cualquier consonante [s] intervocálica. Ejemplos:

[lasómbras] *las sombras*
[lasálas] *las salas*

2) *Cuando se encuentran en contacto dos consonantes*
nasales linguoalveolares [n], la solución es una sola [n] que

tiene una duración un poco mayor que la correspondiente intervocálica en el lenguaje cuidado, pero de la misma duración en el lenguaje coloquial. Ejemplo:

[kon:áða] *con nada.*

[ún:oβíʎo] *un novillo*

No suele producir geminación el encuentro de dos consonantes de este tipo.

3) *Cuando hay dos consonantes vibrantes en contacto,* una un archifonema final de palabra y la otra una vibrante múltiple inicial de palabra, la solución es *una sola vibrante múltiple* [r̄] de la misma naturaleza que la vibrante múltiple intervocálica: con el mismo número de vibraciones (dos o tres) y la misma energía articulatoria. Ejemplos:

[umór̄aθjonál] *humor racional*

[és úŋ kaṇtár̄exjonál] *es un cantar regional*

4) *Cuando hay dos consonantes laterales linguoalveolares en contacto,* la solución más general es la de *una sola lateral larga* [l:], sin llegar nunca a casos de geminación. Ejemplos:

[el:óro] *el loro*

[el:áðo] *el lado*

5) *Cuando hay dos consonantes linguodentales* [d] *en contacto,* la solución más general es la de *una consonante fricativa* [ð]. Ejemplos.

[θjuðáðel káβo] *Ciudad del Cabo*

[el maðríðe kárlos terθéro] *El Madrid de Carlos III*

13.5. PERTINENCIA DE LA CANTIDAD

Hemos visto en el párrafo anterior que la concurrencia de dos vocales o de dos consonantes homólogas puede dar origen a una prolongación cuantitativa del sonido resultante. Esta prolongación aparece cuando la dicción es lenta o enfática, pero en la conversación normal tiende a suprimirse, apareciendo el sonido resultante con la misma duración que si se encontrase en posición intervocálica.

En los ejemplos que damos a continuación colocamos bajo el concepto *Nivel A* la distinción cuantitativa que efectuaríamos en un lenguaje muy cuidado o enfático, y bajo el concepto *Nivel B* el resultado de esta distinción en un lenguaje conversacional, corriente, e incluso cuidado.

Nivel A	*Nivel B*	*Representación gráfica*
/aθá:r - aθár/	/aθár/	azahar - azar
/kó:rte - kórte/	/kórte/	cohorte - corte
/lé:lo - lélo/	/lélo/	léelo - lelo
/ló:res - lóres/	/lóres/	loores - lores
/pasé: - pasé/	/pasé/	paseé - pasé
/bá:r - bár/	/bár/	vahar - bar
/bá:xo - báxo/	/báxo/	vahajo - bajo
/para:labár - paralabár/	/paralabár/	para alabar - para lavar
/mí:xo - míxo/	/míxo/	mi hijo - mijo
/desú:so - desúso/	/desúso/	de su uso - desuso
/la:benída - labenída/	/labenída/	la avenida - la venida
/lo:kúlto - lokúlto/	/lokúlto/	lo oculto - lo culto
/ún:ómbre - únómbre/	/únómbre/	un nombre- un hombre
/ún:obíʎo - únobíʎo/	/únobíʎo/	un novillo - un ovillo
/el:ádo - eládo/	/eládo/	el lado - helado
/el:óro - elóro/	/elóro/	el loro - el oro
/áθ:úmo - áθúmo/	/áθúmo/	haz zumo - haz humo
/los:óles - losóles/	/losóles/	los soles - los oles
/las:álas - lasálas/	/lasálas/	las salas - las alas

Aunque, como vemos, en ciertas posiciones y en un nivel determinado, exista una diferencia cuantitativa, realmente, la cantidad no es pertinente en nuestra lengua, ya que la tendencia es hacia la anulación de ésta, aun en los contados casos en que se presenta, por no constituir realmente un rasgo fonológico de nuestro sistema.

13.6. SINALEFA

Uno de los rasgos más acusados del español es *la tendencia a la sinalefa,* o sea la pronunciación en una sola sílaba de grupos de vocales que resultan del enlace de unas palabras con otras en la cadena hablada. El enlace de vocales homólogas descrito más arriba es un ejemplo de sinalefa, pero ocurre además también con vocales diferentes. La posibilidad de producirse sinalefa depende de la abertura de las vocales; sólo las combinaciones siguientes son susceptibles de pronunciarse en una sola sílaba:

1) progresión de abertura más cerrada a más abierta; por ejemplo [ea]: [me‿aléɣro] *me alegro.*

2) progresión de abertura más abierta a más cerrada; por ejemplo, [ae]: [la‿eskwéla] *la escuela.*

3) la presencia de la abertura más grande en el centro del grupo, formando así el núcleo silábico; por ejemplo, [oae]: [béŋgo‿a‿empeθár] *vengo a empezar.*

4) Cuando se juntan dos vocales de igual abertura, hay también sinalefa: [póko‿efékto] *poco efecto,* pero cuando se encuentra en el centro del grupo una vocal más cerrada que las otras se hace imposible la sinalefa, y ante la vocal más cerrada se marca el límite silábico.

Son éstas, esquemáticamente, las condiciones que rigen la presencia o no de sinalefa, la cual puede ocurrir en una gran variedad de combinaciones con o sin acento, existiendo la posibilidad de hasta cinco vocales pronunciadas en una sílaba. No obstante, merece la pena que los estudiantes extranjeros intenten imitar las sinalefas que oigan, siendo la sinalefa un rasgo importante del español normal y corriente. Ejemplo:

[mi kuɲáðo se ʎáma‿enríke] *mi cuñado se llama Enrique.*

[árko‿en el θjélo/áɣwa‿en el swélo] *arco en el cielo, agua en el suelo.*

[kómo βíno‿a‿eŋterárse] *¿cómo vino a enterarse?*

[bíβo‿en málaɣa] *vivo en Málaga*

13.7. EJERCICIOS PRÁCTICOS DE PRONUNCIACIÓN: Apéndice II, Ejercicios XLIII, XLIV.

XIV

EL ACENTO

14.1. CARACTERÍSTICAS GENERALES

El acento es un rasgo prosódico, fonológico, cuya finalidad es poner de relieve un sonido o un grupo de sonidos. Para dar realce a una sílaba o a un sonido el acento dispone de tres elementos: 1.°) la *intensidad*, 2.°) el *tono o altura musical*, 3.°) la *duración*. Según la lengua, aunque a veces estén presentes más de uno de estos tres elementos, siempre hay un suplemento de uno de ellos que sirve para hacer destacar la sílaba acentuada.

La *intensidad*, como ya dijimos, depende de la amplitud de vibración de las cuerdas vocales. El acento que hace resaltar las sílabas acentuadas del inglés y al parecer del español es un acento de intensidad.

La *altura musical* depende de la frecuencia del tono fundamental del sonido. En ciertas lenguas, entre ellas el chino, el *tono* tiene relevancia fonológica.

La *duración* depende de la cantidad relativa del sonido, y es el acento normal del francés, en donde la sílaba final del grupo es acentuada porque lleva un suplemento de duración.

14.2. EL ACENTO ESPAÑOL

En español una palabra no tiene nada más que una sílaba acentuada (se exceptúan los adverbios terminados en *mente*, que tienen dos), llamada *acentuada o tónica*, por contraposición a todas las demás, que carecen de esa energía articulatoria, y que son *inacentuadas o átonas*.

14.3. Este acento de intensidad depende, como ya hemos visto, de la amplitud con que vibran las cuerdas vocales.

La sílaba acentuada en español presenta las siguientes propiedades:

1.°) Una mayor energía articulatoria.

2.°) Derivada de esta mayor energía articulatoria, las vocales presentan mayor tensión, y también mayor abertura.

3.°) Las consonantes que rodean al núcleo silábico tónico presentan también mayor tensión y mayor cierre de los órganos articulatorios.

4.°) Mayor sonoridad, y, por lo tanto, mayor perceptibilidad.

14.4. Clasificación de las palabras por la posición del acento

En algunas lenguas la posición del acento en la palabra es fijo: en francés está situado siempre en la última sílaba; en finés y en checo recae sobre la primera sílaba de la palabra; en polaco, sobre la penúltima, etc. Sin embargo, hay otro grupo de lenguas en las que la situación del acento es libre: puede estar situado sobre cualquier sílaba de la palabra. En estas lenguas, la diferente situación acentual da lugar a importantes cambios significativos en la palabra, cosa que no ocurre con las lenguas de acento fijo; por ejemplo, en inglés, *content,* con acento en la primera sílaba es un sustantivo: *cóntent,* "contenido", mientras que con el acento sobre la segunda sílaba es un adjetivo: *contént* "contento"; lo mismo ocurre con la palabra *import: ímport* "importación", frente a *impórt* "importar", etc.

El español es también una lengua de acento libre, como veremos a continuación.

Según el lugar que ocupa la silaba acentuada en el interior de una palabra, se puede realizar la siguiente clasificación:

1.°) *Oxítona* (o *aguda*), cuando la sílaba acentuada ocu-

pa el último lugar en la palabra [r̄eu̯njó] *reunió*, [θené]
cené, [mãmá] *mamá*, [papél] *papel*, [kortár] *cortar*, etc.

2.º) *Paroxítona* (o *llana*), cuando la sílaba acentuada ocupa el penúltimo lugar en la palabra. Los vocablos paroxíto-
nos son los más corrientes en español, de ahí que la ortografía no los distinga con ningún signo diacrítico: [ermáno]
hermano, [r̄esu̯l̪táðo] *resultado*, [mecéro] *mechero*, etc.

3.º) *Proparoxítona* (o *esdrújula*), cuando la sílaba acentuada ocupa el antepenúltimo lugar en la palabra: [θéleβre]
célebre, [r̄éximẽn] *régimen*, [bolíɣrafo] *bolígrafo*, etc.

4.º) En formas compuestas la sílaba acentuada puede ade-
lantarse aún a la sílaba antepenúltima, en cuyo caso recibe
la denominación de *superproparoxítona* (o *sobresdrújula*):
[kómetelo] *cómetelo*, [r̄ekoxjéṇdoselo] *recogiéndoselo*, etc.

Esquemas:

oxítona... ... ...   — — — —́

paroxítona... ... ...   — — —́ —

proparoxítona... ... ...   — —́ — —

superproparoxítona... ... ...   —́ — — —

14.5. Esquemas acentuales

El español conoce los siguientes esquemas acentuales:

1.º *bisílabos*

—́ —	— —́
radio	radiar
vaso	vasar
cama	bailó
árbol	papel
lápiz	tapiz

2.º *trisílabos*

célebre	muñeca	aviación
ánimo	gobierno	corazón
fósforo	naranja	estudió
sábado	acierta	aguardar
ático	febrero	caracol

3.º *tetrasílabos*

cómetelo	mecánico
dígaselo	teléfono
cuéntamelo	telégrafo
ábremelo	lingüística
cántanosla	olímpico

telegrama	aniquilar
homenaje	ferrocarril
bicicleta	encendedor
panorama	auricular
dormitorio	circulación

4.º *pentasílabos*

relátamelo	magnetófono
repítaselas	dialectólogo
recógeselo	preciosísimo

laboratorio	telefonear
concesionario	telegrafiar
americano	comunicación

14.6. FONOLOGÍA DEL ACENTO ESPAÑOL

La relativa pobreza del sistema fonológico español puede quedar compensada con creces merced a la gran movilidad y expresividad de nuestro acento. Por contraposición al francés, que posee una extraordinaria rigidez en cuanto a la posiciön de la sílaba acentuada, el español se caracteriza por su flexibilidad, dando origen a importantes cambios significativos la situación de la sílaba acentuada. Veamos algunos ejemplos:

'	'	'
término	termino	terminó
célebre	celebre	celebré
límite	limite	limité
depósito	deposito	depositó
ánimo	animo	animó
hábito	habito	habitó
estímulo	estimulo	estimuló
árbitro	arbitro	arbitró
íntimo	intimo	intimó

'	'
libro	libró
llamo	llamó
vera	verá
peso	pesó
calle	callé
canto	cantó
rezo	rezó
fíe	fié
pase	pasé
radio	radió
bailo	bailó

14.7. PALABRAS ACENTUADAS Y PALABRAS INACENTUADAS

Es evidente que toda palabra aislada, sacada fuera del contexto en que se halla, presenta una sílaba con una determinada carga acentual; pero las cosas cambian cuando esa misma palabra se encuentra situada en el decurso de la cadena hablada. En la frase se percibe claramente la presencia de sílabas tónicas en unas palabras determinadas y su ausencia en otras.

14.7.1. *Palabras portadoras de sílabas acentuadas.*—Las palabras que en español siempre llevan una sílaba acentuada son:

1) *el sustantivo:* [el kámpo] *el* campo, [el kóce] *el* coche.

2) *el adjetivo:* [el péřo βláŋko] *el perro* blanco, [la kása tríste] *la casa* triste.

3) *el pronombre tónico:* [tú sáβes múco] *tú sabes mucho,* [él i nosótros xuɣarémos] *él y nosotros jugaremos,* [para mí i para tí] *para mí y para tí,* etc.

4) *los numerales,* tanto cardinales como ordinales, se acentúan [dós péřos] *dos perros,* [θjéŋ kásas] *cien casas,* [priméro] *primero,* etc. Sin embargo, en un compuesto numeral, el primer elemento no se acentúa: [dos̯ míl] *dos mil,* [θjen míl] *cien mil,* [kwareṇta̯i̯ séis̯] *cuarenta y seis,* etc.

5) *el verbo:* [xwáŋ kóře] *Juan corre,* [los páxaros káṇtan] *los pájaros cantan,* [ói̯ á ʎoβíðo] *hoy ha llovido,* etc.

6) *el adverbio:* [lo áθen mál] *lo hacen* mal, [kómēn múco] *comen mucho,* [xwéɣam bjén] *juegan bien,* etc.

7) las formas interrogativas *qué, cuál, quién, dónde, cuándo, cuánto, cómo:* [dóṇde̯estás] ¿dónde *estás?,* [kjém bjéne] ¿quién *viene?,* etc.

14.7.2. *Palabras no portadoras de sílabas acentuadas.*— Las palabras que en español no llevan acento son:

1) *el artículo determinado:* [el ómbre̯está formáðo por el kwérpo jel álma] *el hombre está formado por el cuerpo y el alma.*

Sin embargo, el artículo indeterminado se acentúa: [ún sáko] *un saco,* [únas pésas] *unas pesas.*

2) *la preposición:* [bámos por la kařetéra] *vamos por la carretera.*

3) *la conjunción:* [njel péřo / njel γáto estáβan akí] *ni el perro ni el gato estaban aquí.*

4) *el primer elemento de los numerales compuestos* (v. el anterior párrafo 14.7.1., 4).

5) *los pronombres átonos:* [se lo ðíxe sérjaménte] *se lo dije seriamente.*

6) *los adjetivos posesivos apocopados:* [mi páðre‿i̯ mĩ máðre són ãmeřikános] *mi padre y mi madre son americanos,* [nwestra kása] *nuestra casa.*

7) *las formas que, cual, quien, donde, cuando, cuanto, como,* cuando no funcionan como interrogativas: [lo ðexé ðoṇde lo βí] *lo dejé donde lo vi.*

Obsérvese en los siguientes ejemplos la diferencia acentual existente entre estas formas, según funcionen como interrogativas (§ 14.7.1., 7) o no (§ 14.7.2., 7):

¿Cuándo lo viste?	— Cuando jugaba
¿Dónde estaba?	— Donde siempre
¿Qué pasa?	— Que la gente discute
¿Cómo se encuentra?	— Como ya sabes
¿Quién grita?	— Quien quiere
¿Cuánto quiere?	— Cuanto pueda

Cual no se acentúa cuando ejerce una función modal: "le puso cual digan dueñas".

14.8. PALABRAS PORTADORAS DE DOS SÍLABAS ACENTUADAS

En condiciones normales tan solo un grupo de palabras, los llamados adverbios en *-mente,* poseen dos sílabas tónicas [miseráβleménte] *miserablemente,* [sólaménte] *solamente,* [řaðikálménte] *radicalmente,* etc.

14.9. ACENTO AFECTIVO O ENFÁTICO

Aunque acabamos de decir que las palabras en español, con excepción de las indicadas en el número anterior, sólo poseen una sílaba acentuada, ocurre a veces que por un énfasis especial que tiene por objeto poner de relieve una palabra determinada o por afectación propia de algunas personas, se marca con un acento de intensidad la primera, segunda o tercera sílabas inacentuadas de una palabra: [baxo mi r̄ésponsaβiliðáð] *bajo mi responsabilidad,* [intérpretáða] *interpretada,* [akon̯téθimjén̯to] *acontecimiento,* [estói̯ r̄efirjén̯dome‿a impórtaθjón nó a ésportaθjón] *estoy refiriéndome a importación no a exportación.* A veces, por este motivo, puede cobrar acento una palabra que normalmente es inacentuada: [traβáxo ðe lá mĕmórja] *trabajo de la memoria,* etc.

14.10. FUNCIÓN RÍTMICA DEL ACENTO

Así como solemos decir que cada lengua tiene su propia "música" cuando nos referimos a la entonación —que estudiaremos más adelante—, también se puede decir que cada idioma tiene su ritmo característico. Si comparamos el inglés y el español, veremos que, aunque los dos poseen un rasgo en común, el acento de palabra, tienen, sin embargo, un ritmo muy distinto.

El ritmo del inglés es lo que podríamos llamar un *ritmo acentualmente acompasado:* los acentos primarios de una oración van situados a intervalos aproximadamente iguales, sin consideración del número de sílabas inacentuadas que se encuentran entre ellos. Si no media ninguna, el hablante reduce la velocidad, por decirlo así, y si hay varias, las enuncia más rápidamente, de forma que se mantenga el compás marcado por las sílabas acentuadas. Compárense los ejemplos siguientes:

He's not   *coming*   to*day.*

He's not even *coming*   to*day.*

Podemos decir, por consiguiente, que el tiempo que emplea un hablante en emitir una oración en inglés depende más o menos del número de acentos de intensidad.

El español, por el contrario, tiene un *ritmo silábicamente acompasado:* la sílaba es la que marca el compás. Por eso, el tiempo que emplea un hablante español en enunciar una oración depende, a grandes rasgos, del número de sílabas. Se tardará aproximadamente dos veces más en pronunciar una oración de veinte sílabas que en pronunciar una de diez sílabas.

14.11. OBSERVACIÓN

El acento de palabra español, en cierto sentido, no debe ofrecer dificultades a los estudiantes de habla inglesa, por ser de la misma naturaleza que el suyo. Sin embargo, los anglohablantes deben tener en cuenta la diferencia que existe en el ritmo de las dos lenguas, como dijimos antes. En especial, deben hacer un esfuerzo para no debilitar las vocales inacentuadas del español, ya que en inglés las vocales inacentuadas tienden a convertirse en una vocal central neutra [ə], por ejemplo ['foᵘtə‚græf] *photograph,* [fə'tɑgrə‚fi] *photography.* En español, aunque a veces se habla de vocales débiles, es una cosa muy relativa. Hay que considerar que las vocales inacentuadas conservan intacto su timbre característico, efecto natural de que el ritmo español es un ritmo acompasado silábicamente.

14.12. EJERCICIOS PRÁCTICOS DE PRONUNCIACIÓN: Apéndice II, Ejercicio XLV.

XV

ENTONACIÓN

15.1. GRUPO FÓNICO

Recibe el nombre de grupo fónico la porción de discurso comprendida entre dos pausas. El grupo fónico medio oscila en español entre las ocho y las once sílabas. Ello no quiere decir que no existan grupos fónicos de menos sílabas; puede haberlos, incluso, de una, como *no, sí,* contestando a una pregunta.

Es importante la noción de grupo fónico por dos causas principales: en primer lugar, por la naturaleza fonética de los sonidos que se encuentran en posición inicial del grupo: un fonema, como, por ejemplo, /b/, en posición inicial del grupo fónico o posición inicial absoluta, se realizará como oclusivo, [b], según ya hemos visto, mientras que en posición medial de grupo fónico, si no va precedido de nasal, se realizará como fricativo, [β].

En segundo lugar, los comportamientos tonales del final de cada grupo fónico nos dan unos niveles determinados que son la característica principal de la entonación.

15.2. PAUSA

Las interrupciones o detenciones que realizamos cuando hablamos o leemos reciben el nombre de *pausas.*

Las pausas se originan por dos razones: a) fisiológicas; b) lingüísticas. Lo ideal es que coincidan las dos.

Fisiológicamente, vienen determinadas por la necesidad de respirar y de recuperar el aire que nuevamente necesitaremos para la fonación.

Lingüísticamente, las pausas señalan el final de una expresión. Pueden ser:

1. *Pausa final absoluta,* después de un enunciado completo. Es la que la ortografía señala por medio de un punto.

2. *Pausa enumerativa,* la que se produce entre los miembros de una enumeración: *están callados / serios / tristes //.*

3. *Pausa explicativa,* la que se produce en el principio y en el final de un enunciado explicativo introducido en un enunciado más amplio: *el emperador francés / muy emocionado / besaba la bandera //; las mujeres / contentas / estaban en el jardín //.*

4. *Pausa potencial,* la que se realiza por voluntad del hablante; puede ser: *hiperbática: cuando llegamos / estaba cantando el pájaro //* (también puede enunciarse: *cuando llegamos estaba cantando el pájaro //); expresiva: el jueves / llega pronto //* (frente a: *el jueves llega pronto //;* sin embargo si el sujeto está pospuesto al verbo, no hay pausa: *llega pronto el jueves //).*

5. *Pausa significativa:* su presencia o ausencia cambia por completo la significación del enunciado: *los alumnos / que viven lejos / llegan tarde //,* frente a: *los alumnos que viven lejos llegan tarde //;* o *no / necesitamos estudiar más //,* frente a: *no necesitamos estudiar más //.*

15.3. Entonación

La entonación es la principal característica de la frase: depende de las variaciones de la frecuencia de vibración de las cuerdas vocales. La entonación abarca la totalidad de la frase y puede contribuir tanto en el cambio de su significado, como en la expresión de determinados estados psíquicos o de determinados sentimientos (satisfacción, desprecio, ira, etc.).

En el comportamiento melódico de la frase o del grupo fónico hay que distinguir cuidadosamente entre: 1.º, las variaciones tonales que existen en el interior de la frase y que pueden atribuirse a peculiaridades regionales, individuales u ocasionales, y 2.°, las variaciones tonales que aparecen al final del grupo fónico, que son significativas.

Se ha dicho que es casi más importante aprender bien la entonación de la frase que la pronunciación de cada sonido en particular; es decir: se notan menos las faltas de la articulación de los sonidos teniendo una buena entonación; por el contrario, una mala entonación desvirtúa casi por completo la pronunciación [1].

15.4. FONOLOGÍA DE LA ENTONACIÓN

Como hemos dicho en el párrafo anterior, lo lingüísticamente significativo de la entonación se encuentra en la parte final del grupo fónico *(tonema)*, generalmente a partir de la última sílaba acentuada, y depende de la dirección que adopte la línea tonal.

En español, fonológicamente, el tonema puede presentar tres movimientos: *ascendente, horizontal* y *descendente.*

Estos movimientos fonológicos del tonema tienen, en el momento de realizarse, otras variantes: al tonema fonológicamente ascendente, corresponderán, en el plano fonético, la anticadencia y la semianticadencia; al tonema fonológicamente horizontal, le corresponderá, fonéticamente, la suspensión, y al fonema fonológicamente descendente, corresponderán, en su realización, dos variantes: la cadencia y la semicadencia.

Resumiendo, podríamos establecer el siguiente esquema:

Nivel fonológico	*Nivel fonético*
tonema descendente...	{ cadencia { semicadencia
tonema horizontal	} suspensión
tonema ascendente	{ anticadencia { semianticadencia

---

[1] V. la cita de MALMBERG, en la pág. 35.

15.5. FONÉTICA DE LA ENTONACIÓN

La realización de cada uno de los tonemas presenta las siguientes características:

15.5.1. TONEMA DESCENDENTE

15.5.1.1. *Cadencia*

En la cadencia, el tonema presenta el nivel de descenso más bajo. Corresponde a las oraciones afirmativas, y en algún caso (§ 15.8.2), también a las interrogativas.
Ejemplos:

El coche es bonito.

Estos niños saben mucho.

Estamos cansados.

15.5.1.2. *Semicadencia*

Cuando el tonema desciende menos que en la cadencia. Se emplea en las expresiones que dan una idea insuficientemente definida, o en una aseveración insegura. El grupo fónico portador de la semicadencia va acompañando a otros grupos fónicos que poseen otras terminaciones.

Ejemplo:

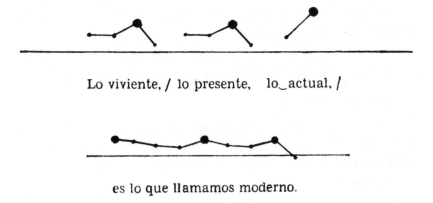

Lo viviente, / lo presente,   lo_actual, /

es lo que llamamos moderno.

Los dos primeros grupos fónicos terminan en semicadencia, el penúltimo en anticadencia, y el último en cadencia.

15.5.2. TONEMA HORIZONTAL

15.5.2.1. *Suspensión*

En la suspensión, el tonema finaliza al mismo nivel tonal que el cuerpo del grupo fónico en el que está situado. Se utiliza en las frases con sentido incompleto, o en las que queda cortada una idea, pendiente de continuación.

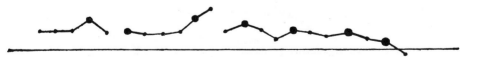

El enemigo,/casi derrotado,/corría delante de nuestras tropas.

El primer grupo termina en suspensión, el segundo en anticadencia y el último en cadencia.

15.5.3. TONEMA ASCENDENTE

15.5.3.1. *Anticadencia*

Cuando el tonema asciende rápidamente a partir de la última vocal tónica. Se utiliza en las frases interrogativas absolutas, en la subordinación, entre la oración subordinante y subordinada, etc.

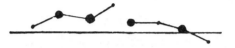

A mal tiempo/buena cara.

A buen hambre/no_hay pan duro.

El primer grupo fónico termina en anticadencia, y el segundo, en cadencia.

15.5.3.2. *Semianticadencia*

Cuando el tonema termina a una altura menor que la anticadencia. Corresponde a unidades interiores de sentido continuativo y señala oposiciones y contrastes de carácter secundario.

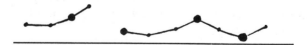

En el patio, / suena de tarde_en tarde /

la_estridencia de los caballos.

El primer grupo termina en anticadencia, el segundo en semianticadencia y el tercero en cadencia.

15.5.4. A continuación, damos un ejemplo de conjunto para ver cómo funcionan estas terminaciones en la expresión de un enunciado.

Cuando tenemos un solo grupo afirmativo, el tonema finaliza en cadencia:

No contestó a la pregunta.

Pero si queremos dar una explicación más, porque la idea no queda suficientemente aclarada, y añadimos otro grupo fónico, lo enunciado anteriormente terminará en anticadencia, y el añadido en cadencia:

No contestó a la pregunta / porque se fue.

Si aún añadimos un grupo fónico más, el primero (*no contestó a la pregunta*) terminará en semianticadencia; el penúltimo (*porque se fue*) en anticadencia, y el último en cadencia:

No contestó a la pregunta / porque se fue / cuando yo venía.

15.6. LA ENTONACIÓN EN LA FRASE

Las terminaciones anteriormente expuestas son las mismas que van a formar parte de la línea melódica de la frase. Según sea el concepto que queramos expresar, así la entonación también variará de acuerdo con el número de grupos fónicos que contenga.

15.7. LA ENTONACIÓN EN LA FRASE ENUNCIATIVA

La frase enunciativa es aquella que expresa un hecho determinado, un juicio, una aseveración, etc. En la frase enunciativa se nos pueden presentar los siguientes casos:

15.7.1.   *Que la frase enunciativa tenga un sólo grupo fó-nico,* en cuyo caso el tonema desciende, es decir, termina en cadencia, independientemente del número de sílabas. Según éstas, el grupo fónico puede ser:

1.°)   *Monosílabo:*

Sí.	Mal.
No.	Ya.
Bien.	Voy.

2.")   *Bisílabo:*

Cierto.	Guapo.
Vete.	Me voy.
¡Baja!	¡Anda!

3.°)   *Trisílabo:*

Sin duda.	Seguro.
¡Cómo no!	No quiero.
Espero.	Sígueme.

4.")   *Tetrasílabo:*

Lo veremos.	No vengas hoy.
Cógemelo.	Ven mañana.
Cuéntamelo.	Cuando quieras.

5.°   *Pentasílabo:*

Lo esperaba.	Te avisaré.
Soy estudiante.	Ven cuando quieras.
Te seguiremos.	Ten este libro.

6.°)   *Hexasílabo:*

Es una comida.	Tengo veinte años.
Era estudiante.	Estamos cansados.
Mañana es lunes.	Los libros son caros.

7.º) *Heptasílabo:*

Que tenga buen viaje.

Qué se le va a hacer.

El profesor está bien.

Mis amigos vienen hoy.

Los caballos son negros.

He leído un libro.

8.º) *Octosílabo:*

Los manzanos están en flor.

Estos niños saben mucho.

El coral está en la mar.

Hasta pasado mañana.

El perro del hortelano.

He leído unos libros.

Generalmente, a partir de las ocho sílabas se realiza normalmente una pausa, resultando de este modo dos grupos fónicos.

15.7.2. *Que la frase enunciativa tenga dos grupos fónicos,* en cuyo caso, el primero termina en anticadencia, y el segundo en cadencia:

Arco en el cielo, / agua en el suelo.

La moda europea / está muy extendida.

Esta extensión de terreno / es magnífica.

Empezaba a cenar / cuando llegó Luis.

Me compré un sombrero / y me está pequeño.

Con cuarenta duros / no tengo para empezar.

En este caso hay que incluir también los dos grupos que se forman con las oraciones disyuntivas: *bueno o malo* (véase § 15.9.).

Cuando_arrancábamos/llegó María.

15.7.3. *Que la frase enunciativa tenga más de dos grupos fónicos.* En este caso hay que tener en cuenta:

15.7.3.1. La enumeración cuyo último grupo fónico va precedido de la conjunción *y*:

Uno, / dos, / tres / y cuatro.
Lunes, / miércoles / y viernes.
Bueno, / bonito / y barato.
Feo, / triste / y desdichado.
Lunes, / martes, / miércoles / y viernes.

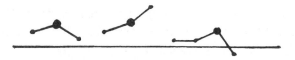

El perro / y el gato / se pelean.

En estos casos, la línea tonal del penúltimo grupo fónico asciende, terminando en anticadencia o semianticadencia; la del último grupo fónico termina en cadencia, y la de los demás, en semicadencia.

15.7.3.2. La enumeración cuyo último grupo fónico no va precedido por la conjunción *y*:

Los caballos son negros, / fuertes, / nerviosos.
Los niños corren, / juegan, / ríen.
Andaba por los prados, / por los trigales, / por el monte.

En estos casos todos los grupos fónicos terminan en semicadencia, a excepción del último, que termina en cadencia.

Los caballos son negros, / fuertes, / nerviosos.

Los niños corren, / juegan, / ríen.

15.7.3.3. Cuando la serie de grupos fónicos que constituyen la enumeración preceden al verbo:

> Los manzanos, / los perales, / y los ciruelos / están en flor.
> Lo viviente, / lo presente, / lo actual / es lo que llamamos moderno.
> El mar, / y el cielo / se juntan en el horizonte.

En estos casos, el penúltimo grupo termina en anticadencia o semianticadencia, vaya o no precedido de conjunción; el último en cadencia, y los demás en semicadencia.

> Los manzanos, / los perales / y los ciruelos / están en flor.

15.7.3.4. Cuando el segundo grupo fónico es una oración subordinada: complemento circunstancial, oración vocativa, oración explicativa, etc.:

> Allá abajo, / en torno a la torre, / vuelan los pájaros.
> El emperador francés, / muy emocionado, / besaba su bandera.
> La mujer, / que estaba sola en la casa, / sintió miedo.
> Las tardes, / bajo la luz del invierno, / son tristes.

En estos casos, el primer grupo fónico termina en suspensión; el segundo en anticadencia o semianticadencia, y el último en cadencia.

> El emperador francés,/muy emocionado,/besaba su bandera.

15.7.3.5. Si el primero o los dos primeros grupos fónicos son complementos circunstanciales:

En las noches con la luna, / por las majadas del otero, / camina el ganado.
Con los miembros ateridos, / en las noches de invierno, / se calientan los pastores.
Sobre el caballo, / con las riendas en la mano, / galopa el jinete.

El primer grupo fónico termina en suspensión, el segundo en anticadencia o semianticadencia, y el último en cadencia.

15.8. LA ENTONACIÓN EN LA FRASE INTÉRROGATIVA

El tonema en las frases interrogativas es el que más variedad presenta en español. En la frase interrogativa se pueden presentar los siguientes casos:

15.8.1. *Frase interrogativa.*

Una frase afirmativa puede convertirse fácilmente en interrogativa cambiando de dirección el tonema. Compárense las frases que damos a continuación con significación afirmativa (SA) y con significación interrogativa (SI):

SA	frente a	SI
Estamos cansados.		¿Estamos cansados?
Habla español.		¿Habla español?
Tiene buena salud.		¿Tiene buena salud?
Come mucho.		¿Come mucho?
Está contento.		¿Está contento?
Viene mañana.		¿Viene mañana?
Está casado.		¿Está casado?

¿Quieres bailar conmigo?

¿Habla_español?

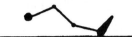

¿Es tuyo_este libro?

En español es muy frecuente la inversión de los elementos al pasar una oración afirmativa a interrogativa. Normalmente, lo que ocurre es que el verbo pasa a primer término:

SA	frente a	SI

SA	SI
Este libro es tuyo.	¿Es tuyo este libro?
Los libros son caros.	¿Son caros los libros?
El coche es bonito.	¿Es bonito el coche?
Los alumnos están contentos.	¿Están contentos los alumnos?
Antonio ha venido.	¿Ha venido Antonio?
Juan habla español.	¿Habla Juan español?
Esto es un libro.	¿Es esto un libro?
Esto no es un libro.	¿No es esto un libro?

15.8.2. *Frase interrogativa con elemento inicial tónico.*

Cuando la frase interrogativa comienza por un pronombre, un adverbio interrogativo, o por cualquier tipo de partícula interrogativa, elementos tónicos, por lo tanto, el tonema desciende, terminando en cadencia:

¿Dónde fuiste?	¿Para qué sirve esto?
¿Dónde estás?	¿Para qué lo quieres?
¿Cómo lo has conocido?	¿Qué ocurre?
¿Cómo lo has comprado?	¿Qué quieres?
¿Cuánto cuesta?	¿Por qué lo tienes?
¿Cuánto dinero tienes?	¿Por qué cantas?
¿Quién vino?	¿Cuál quieres?
¿Quién llama?	¿Cuál me das?

¿Dónde fuiste?

¿Para qué sirve esto?

¿Qué quieres?

En este tipo de frases interrogativas no se emplea normalmente la terminación ascendente, porque el elemento tónico inicial es por sí sólo indicador de la interrogación, y la lengua tiende a evitar reduplicaciones.

Compárese, por ejemplo, entre:

¿Cuándo vendrás?	frente a	Cuando venga
¿Dónde está?		Donde está
¿Cómo está?		Como estaba
¿Cuánto pide?		Cuanto tengas

Sobre este tipo de frases debemos hacer dos observaciones:

1.°) En el lenguaje conversacional existen diversos valores afectivos que pueden afectar a estos tipos de entonación. Por ejemplo, las interrogaciones *¿Cuánto debo?* o *¿Qué debo?* adoptan diferentes configuraciones según se enuncien más o menos cortésmente, o se dirijan a un interlocutor con el que se tiene más o menos confianza. En la fórmula cortés el tonema termina en anticadencia; mientras que en la fórmula familiar termina en cadencia o semicadencia.

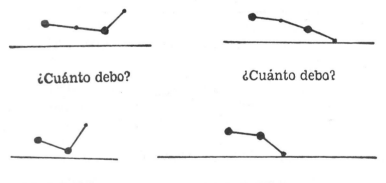

¿Cuánto debo?	¿Cuánto debo?
¿Qué debo?	¿Qué debo?

2.°) Muchas frases interrogativas cambian también su perfil melódico conforme al resultado que la persona que interroga espera obtener del interrogado; es decir, que depende de si el que pregunta está seguro de que la respuesta sea categóricamente afirmativa o negativa, o si no está seguro de la contestación que va a recibir.

En la frase interrogativa *¿Tienes la llave?*, si el que pregunta duda de que posea la llave la otra persona, el tonema

del grupo ascenderá, terminando en anticadencia, mientras
que si sabe con seguridad que la tiene, el tonema descenderá,
terminando en cadencia.

15.8.3. *El pronombre o el adverbio interrogativo* pueden
funcionar por sí mismos como grupos fónicos y melódicos independientes. Sus tonemas pueden finalizar bien en cadencia
bien en anticadencia.

15.8.3.1. Si a la frase enunciativa expresada, y sobre la
cual se va a realizar la pregunta, le falta un complemento de
lugar, tiempo, cantidad, modo, directo, etc., que nos interesa
conocer, el tonema de la frase interrogativa desciende:

Me voy mañana	¿Dónde?
Me voy a París	¿Cuándo?
Déjame dinero...	¿Cuánto?
Quiero hacerlo yo	¿Cómo?
Me gusta ese modelo	¿Cuál?
No como dulces	¿Por qué?
Anoche cené en Santiago... ...	¿Con quién?

15.8.3.2. Si la frase sobre la que se va a realizar la pregunta tiene complemento, pero éste no se ha oído bien o constituye una sorpresa o una duda para el interlocutor, o incluso desea una ratificación de lo enunciado, el tonema de la
frase interrogativa asciende, terminando en anticadencia:

Me voy mañana a París...	¿Dónde?
Me voy a París mañana...	¿Cuándo?
Déjame cien pesetas...	¿Cuánto?
Quiero hacerlo yo con las ma- nos...	¿Cómo?
Me gusta ese modelo del centro.	¿Cuál?
No como dulces porque me em- palagan	¿Por qué?
Anoche cené en Santiago con Angelita...	¿Con quién?

15.8.4. *La interrogación ratificada.*

Cuando una frase interrogativa, tanto afirmativa como negativa, se ratifica por medio de *¿no?* o *¿verdad?*, se forman dos grupos fónicos: el primero termina en cadencia o semicadencia, y el segundo en anticadencia.

Le gustas, ¿no?	Estás cansada, ¿verdad?
Es bonita, ¿no?	No quieres más, ¿verdad?
Tú no tomas café, ¿no?	Este libro es tuyo, ¿verdad?

Le gustas / ¿no?

Es bonita / ¿no?

No‿estás cansado / ¿verdad?

15.8.5. Compárese en los ejemplos siguientes la *frase afirmativa* (FA) frente a la *frase interrogativa* (FI) y frente a la *frase interrogativa ratificada* (FIR).

FA frente a	FI frente a	FIR
Habla español	¿Habla español?	Habla español, ¿no?
Es bonito	¿Es bonito?	Es bonito, ¿no?
Han dormido	¿Han dormido?	Han dormido, ¿no?
Son rubias	¿Son rubias?	Son rubias, ¿verdad?
Le gustas	¿Le gustas?	Le gustas, ¿verdad?
Juega bien	¿Juega bien?	Juega bien, ¿verdad?

15.9. LA ENTONACIÓN EN LA FRASE INTERROGATIVA DISYUNTIVA

Al igual que en la enunciación disyuntiva, en la interrogación del mismo tipo el penúltimo tonema muestra una inclinación ascendente, y el último descendente. Ejemplos:

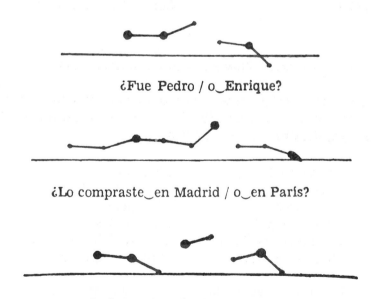

¿Fue Pedro / o Enrique?

¿Lo compraste en Madrid / o en París?

¿Qué ha sido, / niño / o niña?

15.10. LA ENTONACIÓN EN LA FRASE IMPERATIVA

La frase imperativa se utiliza para expresar una orden o un mandato a alguien. Puede ocurrir que constituya un solo grupo fónico, o que esté formada por dos grupos fónicos porque se le haya añadido la frase de cortesía *haga el favor, haz el favor,* o *por favor.* En cualquiera de los dos casos la característica principal es que el tonema o los tonemas descienden, terminando el último en cadencia, y el penúltimo en semicadencia. Ejemplos:

Un grupo fónico	frente a	*Dos grupos fónicos*
Dame el libro		Dame el libro, por favor
Estate quieto		Estate quieto, haz el favor
Llama al portero		Llama al portero, por favor
Cómetelo		Cómetelo, haz el favor

15.11. LA ENTONACIÓN EN LA FRASE EXCLAMATIVA

Las frases exclamativas o vocativas terminan en un tonema descendente, en cadencia. Igual funcionan otros tipos de frases explicativas, de uso corriente:

¡Caramba!	¡Qué frío!
¡Basta!	¡Vete por ahí!
¡Por Dios!	¡Qué pena!
Que aproveche	Buenos días
Que duermas bien	Buenos días, Paco
Buenas tardes	Muy bien, gracias

15.12. EJERCICIOS PRÁCTICOS DE PRONUNCIACIÓN: Apéndice II, Ejercicio XLVII.

BIBLIOGRAFÍA

I. Fonética general

1. BRANDENSTEIN, Wilhelm: *Einführung in die Phonetik und Phonologie*. Viena: Gerold & Co., 1950.

2. ESSEN, Otto von: *Allgemeine und angewandte Phonetik*. Berlín: Akademie Verlag, 1953.

3. GILI GAYA, Samuel: *Elementos de Fonética general*. Madrid: Gredos, 1962

4. GRAMMONT, Maurice: *Traité de Phonétique*. París: Delagrave, 1961.

5 HEFFNER, R.-M. S.: *General Phonetics*. Madison: Univ. of Wisconsin Press, 1952.

6. MALMBERG, Bertil: *La Phonétique*. (Col. «Que sais-je?, núm. 637.) París: Presses Universitaires de France, 1962. Trad. española: *La fonética*. Editorial Universitaria de Buenos Aires, 1964. Trad. inglesa: *Phonetics*. 3.ª ed., Nueva York: Dover, 1954. (Es el libro más recomendable para iniciarse en campo de la fonética y de la fonología por su claridad pedagógica y actualidad de todas las cuestiones.)

7. STRAKA, Georges: *Album phonétique*. Les Presses de l'Université Laval, Québec, 1965.

II. Fonética española

1. CÁRDENAS, Daniel Negrete: *Introducción a una comparación fonológica del español y del inglés*. Washington: Center for Applied Linguistics of The Modern Language Association of America, 1960.

2. NAVARRO TOMÁS, Tomás: *Manual de pronunciación española*. Madrid: Consejo Superior de Investigaciones Científicas, 1961.

3. ——: *Manual de entonación española*. 2.ª ed., Nueva York: Hispanic Institute, 1948.

4. QUILIS, Antonio: *Fonética y fonología del español*. (Cuadernos bibliográficos, X) Madrid: Consejo Superior de Investigaciones Científicas, 1963. (Es una extensa bibliografía sobre fonética y fonología españolas; esta obra nos releva de la necesidad de dar aquí una información bibliográfica más amplia; a ella remitimos a quien sienta deseos de profundizar en esta materia.)

Fonética y Fonología españolas

III. FONOLOGÍA GENERAL

1 BLOCH Y TRAGER: *Outline of Linguistic Analysis*. Baltimore: Linguistic Society of America, 1942.

2. HOCKETT, Charles F.: *A Manual of Phonology*. (International Journal of American Linguistics, oct. 1955.) Baltimore: Waverly Press, 1955.

3. MARTINET, André: *La description phonologique* (Société de publications romanes et françaises, LVI.) Ginebra: Droz, 1956.

4. TRUBETZKOY, N. S.: *Grundzüge der Phonologie*, Göttingen: Vandenhoek und Ruprecht, 1938. Existe una traducción francesa de J. CANTINEAU: *Principes de Phonologie*, París: Klincksieck, 1949.

IV. FONOLOGÍA ESPAÑOLA

1. ALARCOS LLORACH, Emilio: *Fonología española*. 3.ª ed., Madrid: Gredos, 1961.

2. LADO, Robert: «A Comparison of the Sound System of English and Spanish», *Hispania*, XXXIX, 1956, págs. 26-29.

3. HARRIS, James W.: *Spanish Phonology*. Massachusetts, 1969.

Apéndice I

TRANSCRIPCIÓN FONÉTICA

Y

TRANSCRIPCIÓN FONOLÓGICA

DIFERENCIA ENTRE TRANSCRIPCIÓN FONOLÓGICA Y TRANSCRIPCIÓN FONÉTICA

La *transcripción fonológica* es la reproducción gráfica de la constitución fonológica de una lengua dada, dejando a un lado la diversidad de sonidos que realizan esta constitución en el habla.

La *transcripción fonética* es la reproducción gráfica de las diferentes realizaciones del sistema fonológico de una lengua. Incluso la más precisa transcripción fonética tiene tan sólo el valor de un instrumento auxiliar, ya que es incapaz de expresar toda la riqueza de matices articulatorios y acústicos que presenta el habla viva, y, por consiguiente, no puede sustituir los datos suministrados por la fonética instrumental.

La transcripción fonológica es un importante medio que contribuye a analizar la constitución fonológica de una lengua, por ejemplo, cuando se trata de establecer la estadística del empleo de unidades fonológicas y de sus agrupaciones en una lengua dada y de examinar el rendimiento funcional de las diferentes unidades fonológicas.

La transcripción fonológica no debe confundirse con la ortografía corriente; aunque en muchos casos ésta se estructure conforme a los principios fonológicos, queda siempre un compromiso de diferentes principios (morfológico, fonético, etimológico, semántico, etc.) [1].

---

[1] Véase tomo IV, págs. 323-6 de los *Travaux du Cercle Linguistique de Prague*.

Resumiendo: la transcripción fonológica debe representar gráficamente los fonemas, mientras que la transcripción fonética debe representar los sonidos, o realización en el plano del habla de los fonemas.

LA TRANSCRIPCIÓN FONÉTICA

Damos a continuación los tres tipos de transcripciones fonéticas: ancha, semiestrecha y estrecha, del conocido texto del *Maître Phonétique* (revista de la Asociación Fonética Internacional), *El viento norte y el sol.*

Texto

El viento norte y el sol porfiaban sobre cuál de ellos era el más fuerte, cuando acertó a pasar un viajero envuelto en ancha capa.

Convinieron en que quien antes lograra obligar al viajero a quitarse la capa sería considerado más poderoso.

El viento norte sopló con gran furia, pero cuanto más soplaba, más se arrebujaba en su capa el viajero; por fin el viento norte abandonó la empresa. Entonces brilló el sol con ardor, e inmediatamente se despojó de su capa el viajero; por lo que el viento norte hubo de reconocer la superioridad del sol.

Transcripción ancha

En la transcripción ancha se conservan solamente los alófonos [j, w, i̯, u̯, m, ŋ]. Cuando el acento recae sobre la penúltima sílaba, no se suele transcribir, aunque nosotros aboguemos por su transcripción y lo hagamos aquí.

[el bjénto nórte jel sól | porfiában sobre kwál dé: ʎos éra‿el más fwérte | kwando‿aθertó‿a pasár úm bjaxéro‿embwélto‿ en ánca kápa || kombinjéron eŋ ke kjen ántes lográra‿obligár al bjaxéro‿a kitárse la kápa | sería konsiderádo más poderóso || el bjénto nórte sopló koŋ grán fúrja | pero kwanto

más soplába | más se‿ařebuxába‿en su kápa‿el bjaxéro ||
por fín | el bjénto nórte‿abandonó la‿emprésa || entónθes
briʎó‿el sól kon ardór | e‿immedjáménte se despoxó de su
kápa‿el bjaxéro | por lo kel bjénto nórte úbo de řekonoθér la
superjoridádel sól | | |]

Transcripción semiestrecha

En la transcripción semiestrecha, sólo prescindimos de los
grados de abertura o cierre de los alófonos vocálicos. Este
tipo de transcripción es el más indicado para un curso como
el presente, por representar los alófonos que revisten más importancia desde el punto de vista pedagógico y porque requiere, para su perfecta realización, un oído bastante fino. Recomendamos que se use este tipo de transcripción casi exclusi-
vamente.

[el βjéṇto nórte jel sól | porfiáβan soβre kwáḷ dé:ʎos éra‿el
más fwérte | kwaṇdo‿aθertó‿a pasár úm bjaxéro‿embwéḷto‿
en áŋca kápa || kombinjéron ēŋ ke kjen áṇteş loɣrára‿
oβliɣár al βjaxéro‿a kitárse la kápa | sería konsiðeráðo más
poðeróso || el βjéṇto nórte sopló koŋ grám fúrja | pero kwaṇ-
to má‿sopláβa | má‿se‿ařeβuxáβa‿en su kápa‿el βjaxéro ||
por fín | el βjéṇto nórte‿aβaṇdonó la‿emprésa || ēṇtóṇθeş
βriʎó‿el sól kon arðór | e‿imeðjátamēṇte se ðespoxó ðe su
kápa‿el βjaxéro | por lo kel βjéṇto nórte‿úβo ðe řekonoθér
la superjoriðá ðel sól| ||]

Transcripción estrecha

[ɛl βjéṇto nórte jɛl sól | pɔrfiáβan soβre kwáḷ dé:ʎos éra‿ɛl
más fwérte | kwaṇdo‿aθɛrtó‿a pasár úm bjaxéro‿embwéḷto‿
en áŋca kápa || kombinjéron ēŋ ke kjen áṇteş loɣrára‿oβliɣár
al βjaxéro‿a kitárse la kápa | sería konsiðeráðo más poðeró-
so || ɛl βjéṇto nórte sopló koŋ grám fúrja | pero kwaṇto má‿
sopláβa | má‿se‿ařeβuxáβa‿en su kápa‿ɛl βjaxéro || pɔr fín

ɛl βjéṇto nórte‿aβaṇdonó la‿emprésa || ēṇtóṇθeṣ βriʎó‿ɛl
sól kon arðór | ɛ‿ịmeðjátaméṇte se ðespɔxó ðe su kápa‿ɛl
βjaxéro | pɔr lo kɛl βjéṇto nórte‿úβo ðer̄ekonoθér la superjo-
ṛiðá ðɛl sól |||]

LA TRANSCRIPCIÓN FONOLÓGICA

/ el biéɴto nóʀte i el sól | poʀfiábaɴ sobre kuál de éʎos éra
el más fuéʀte | kuaɴdo aθeʀtó a pasáʀ úɴ biaxéro eɴbuélto
eɴ áɴca kápa || koɴbiniéroɴ eɴ ke kieɴ áɴtes lográra obligáʀ
al biaxéro a kitáʀse la kápa | sería koɴsiderádo más pode-
róso || el biéɴto nóʀte sopló koɴ gráɴ fúria | pero kuaɴto más
soplába | más se ar̄ebuxába eɴ su kápa el biaxéro || poʀ fíɴ |
el biéɴto nóʀte abaɴdonó la eɴprésa || eɴtóɴθes briʎó el sól
koɴ aʀdóʀ | e iɴmediátaméɴte se despoxó de su kápa el bia-
xéro | poʀ lo ke el biéɴto nóʀte úbo de ʀekonoθér la superio-
ridáᴅ del sól ||||/

Texto

Soneto fonético

Las guturales gritos emitieron,
las nasales lamentos murmuraron,
las labiales amor manifestaron,
las palatales, al llorar, gimieron.

Cacuminal la lucha fue, mordieron
las dentales los labios, y sangraron;
sinalefas la herida religaron,
las cuerdas la tensión no resistieron:

Sonó en los ámbitos acento fuerte
y firme entonación comenzó a alzarse...
¡Ah, clamoroso amor, oírte y verte!

Mas, ¡ay! saber es reto de la suerte:
la espina de la yod empieza a hincarse,
ya tu sílaba, amor, diptonga en muerte.

JUAN M. DÍEZ TABOADA

/ sonéto fonétiko /

/ las guturáles grítos emitiéroɴ |
las nasáles laméɴtos muʀmurároɴ |
las labiáles amóʀ manifestároɴ |
las palatáles | al ʎoráʀ | ximiéroɴ ||

kakuminál la lúca fué | moʀdiéroɴ |
las deɴtáles los lábios | i saɴgrároɴ |
sinaléfas la erída ʀeligároɴ |
las kuéʀdas la teɴsióɴ nó ʀesistiéroɴ ||

sonó eɴ los áɴbitos aθéɴto fuéʀte |
i fíʀme eɴtonaθióɴ komeɴθó a alθáʀse |
á | klamoróso amóʀ | oíʀte i béʀte ||

mas | ái | sabéʀ és ʀéto de la suéʀte |
la espína de la ʝód eɴpiéθa a iɴkáʀse |
ʝá tu sílaba | amóʀ | diʙtóɴga eɴ muéʀte |||/

/ xuáɴ m díeθ taboáda /

Apéndice II
EJERCICIOS DE PRONUNCIACIÓN

EJERCICIOS PRÁCTICOS DE PRONUNCIACIÓN [1]

EJERCICIO I

Platero es pequeño, peludo, suave; tan blando por fuera, que se diría todo de algodón, que no lleva huesos. Sólo los espejos de azabache de sus ojos son duros cual dos escarabajos de cristal negro.

JUAN RAMÓN JIMÉNEZ: *Platero y yo.*

EJERCICIO II

La Mancha es una llanura frumentaria; primero verde con los sembrados incipientes; después amarilla, con los trigos encañados; luego parda con los rastrojos. Esa llanura la estamos gozando desde el tren, desde el automóvil, al penetrar en ella —no sé en qué momento, no lo recuerdo— hasta que llegamos al bien amado Albacete.

AZORÍN: *Ejercicios de castellano.*

EJERCICIO III

Cervantes estuvo cautivo en Argel cinco años. Pasó allí lo suyo. Pudo allegar conocimientos sobre las costumbres, la política, las miras de aquella gente. Y llegó a formar un plan de alzamiento que hubiera incorporado Argel a España, a Europa, y hubiera limpiado de piratería el Mediterráneo.

AZORÍN: *Ejercicios de castellano.*

---

[1] Todos estos ejercicios, más los que se han ido dando a lo largo del texto, están grabados en la cinta.

Ejercicio IV

Extremadura es tierra fuerte, de paisajes con lontananzas
de infinita idealidad. La fuerza se alza aquí al espíritu. Se
ha dilatado Extremadura más allá de los mares; por tierras
incógnitas han divagado hombres de Extremadura; tierras incógnitas e inextricables en sus selvas próceres, e inaccesibles
en sus montañas altísimas.

Azorín: *Ejercicios de castellano.*

Ejercicio V

Vocales: Ejercicios fonéticos, § 5.9., pág. 61.

Ejercicio VI

Vocales: Ejercicios fonológicos, §§ 5.10, 5.11., págs. 62 y 63.

Ejercicio VII

Vocal [i]

Aceite, vino y amigo, antiguos.
Maravedí a maravedí, llena mi bolsa vi.
Sin alegría, infierno el vivir sería.
El vino y el libro, con un amigo.
No dar ni recibir sin escribir.
Para no sentir, ni ver ni oír.
Al ido, olvido.
El vino hace dormir, reír y los colores al rostro salir.

Ejercicio VIII

Vocal [e]

Migar y sorber, todo es menester.
Retener es la llave del tener.
Quien bien come y bien bebe hace lo que quiere.

¿Qué es eso? —Sopa en queso.

Quien se queja, sus males aleja.

El ratón que se hizo ermitaño en un queso, era un ratón viejo.

El queso y el barbecho, de mayo sea hecho.

Quien bien atiende, aprende, si además de oír entiende.

Por ti la verde hierba, el fresco viento.

EJERCICIO IX

VOCAL [a]

Indias sin navegar, trabajar y más trabajar.

Plaza bien abastada, a Dios alaba.

La carga cansa, la sobrecarga mata.

Más vale la salsa que los caracoles.

Quien sabe dar, sabe tomar.

A falta de tajadas, buenas son rebanadas.

Más pesa un adarme de malicia que una arroba de justicia.

Más vale esperar barbas que peinar canas.

EJERCICIO X

VOCAL [o]

Es hombre loco quien para hacer mucho aprieta poco.

Un solo golpe mató a Lope.

Entre espinas nace la rosa y no es espinosa sino olorosa.

Noche clara y sosegada, espera rociada.

El oro, con ser mejor, brilla menos que el latón.

Cuando no hay jamón ni lomo, de todo como.

Para el ambicioso loco, todo es poco.

Polvo eres, polvo serás y en polvo te convertirás.

EJERCICIO XI

VOCAL [u]

Del uso al abuso, hay el canto de un duro.

Por más que el amor se encubra, mal se disimula.

Infame turba de nocturnas aves.
El aprender es amargura; el fruto es dulzura.
Borriquito moruno, vive cual ninguno.
A mi gusto, nadie se ajusta como yo me ajusto.
Día de ayuno, largo como ninguno.
Las uvas para las cubas.

EJERCICIO XII

EJERCICIO ORGÁNICO DE VOCALES

El buen vino alegra los cinco sentidos: la vista, por el color; el olfato, por el olor; el gusto, por el sabor; el tacto, por lo que agrada coger el vaso, y el oído, en el brindar, por el tintín de los vasos al chocar.

El tiroteo lo comenzó Adela, enfadada por su torpeza, con risa en la boca y lágrimas en los ojos. Me estrelló una breva en la frente. Seguimos Rociíllo y yo, y más que nunca por la boca, comimos brevas por los ojos, por la nariz, por las mangas, por la nuca, en un griterío agudo y sin tregua, que caía, con las brevas desapuntadas, en las viñas frescas del amanecer. Una breva le dio a Platero, y ya fue él blanco de la locura. Como el infeliz no podía defenderse ni contestar, yo tomé su partido; y un diluvio blando y azul cruzó el aire puro, en todas direcciones, como una metralla rápida.

Un doble reír, caído y cansado, expresó desde el suelo el femenino rendimiento.

JUAN RAMÓN JIMÉNEZ: *Platero y yo*.

EJERCICIO XIII

DICTONGOS, §§ 6.2., 6.3., págs. 65-69. TRIPTONGOS, § 6.4., pág. 61. HIATOS, §§ 6.7., 6.8., págs. 71 y 72.

EJERCICIO XIV

DIPTONGOS

A la que bien baila, poco son le basta.
A la mar me voy; mis hechos dirán quién soy.
Deuda real, se cobra tarde y mal.
Para dar consejos, nadie como un viejo.
A últimos de noviembre, coge tu oliva siempre.
Aire puro y agua clara, harán tu vida sana.
La muela y la suegra, cuando duelen, echarlas fuera.
A veces muestra dientes quien sólo de ajos los tiene.
Cada día estudiando, pasa el hombre de necio a sabio.
Nunca sabios son los que en sus estudios no tienen tesón.
Más que admiración, causa un rey compasión.
Si el deudor no se muere, la deuda no se pierde.
El buey y tu mujer de tu tierra deben ser.
Quien duerme no coge la liebre.

EJERCICIO XV

OCLUSIVAS: Ejercicios fonéticos, § 7,10., pág. 85.

EJERCICIO XVI

OCLUSIVAS: Ejercicios fonológicos, § 7,11., pág. 86.

EJERCICIO XVII

OCLUSIVAS SORDAS [p, t, k]

A tales tiempos, tales alientos.
Donde no hay mata, no hay patata.
Cata la luna, cata el sol, cata los amores del pastor.
Con pan, vino y queso, no hay camino tieso.
Lo que ha de cantar el buey, canta el carro.
Lo escrito, escrito queda, y las palabras el viento las lleva.
Por cuatro cuartos sois cara, si no mudáis esa cara.
La carta, corta, clara y bien notada.

Ejercicio XVIII

Oclusivas sonoras [b, d, g]

Bota sin vino, no vale un comino.
Ganar y perder no puede a un tiempo ser.
Gallina ponedora y mujer silenciosa, valen cualquier cosa.
Engañar al engañador, no hay cosa mejor.
Trabajando, ninguno engorda.
"Donde dan, dan; donde dan, dan", dice con las campanas el sacristán.
Bajo la sombra del nogal, no te pongas a recostar.
Convidar a tomar el sol, mal convite para un español.

Ejercicio XIX

Ejercicio orgánico de oclusivas

Es indispensable forzar nuestra nación a que se desahogue racionalmente, y, para ello, hay que infundir nueva vida espiritual en los individuos y por ellos en la ciudad y en el estado. Nuestra organización política hemos visto que no depende del exterior; no hay causa exterior que aconseje adoptar esta o aquella forma de gobierno; nuestras aspiraciones de puertas afuera o son infundadas o utópicas, o realizables a tan largo plazo que no es posible distraer a causa de ellas la atención y continuar viviendo a la expectativa. La única indicación eficaz que del examen de nuestros intereses exteriores se desprende es que debemos robustecer la organización que hoy tenemos y adquirir una fuerza intelectual muy intensa, porque nuestro papel histórico nos obliga a transformar nuestra acción material en espiritual.

Angel Ganivet: *Idearium español.*

Ejercicio XX

Fricativas: Ejercicios fonéticos, § 8.11., págs. 101 y 102, § 8.12., pág. 102.

Ejercicio XXI

FRICATIVAS: Ejercicios fonológicos, § 8.13., pág. 103.

Ejercicio XXII

FRICATIVA SORDA [f]

No hay fea sin gracia, ni guapa sin falta.
La fe sin obras es fe muerta.
Ni fíes ni porfíes, ni apuestes ni desafíes.
Favor de señores y temporal de febrero, poco duraderos.
De refrán y afán pocos se librarán.
Con la flor viene el olor y con el fruto el sabor.
Ayer fresca rosa puesta en el florero, y hoy marchita en el estercolero.
Quien firma, lo escrito afirma.

FRICATIVAS SORDAS [θ, s]

La caza, en la plaza.
El Jueves de la Ascensión, cerezas en Oviedo y trigo en León.
Sobre sol no hay señor, ni sobre sal sabor.
El cazador anda lejos de hacer casa con azulejos.
Quien habiendo manzanilla bebe cerveza ha perdido la cabeza.
Secreto seguro es el que no has dicho a ninguno.
Sastre y sisón, dos parecen y uno son.
Si el sol da candilazo, agua en breve plazo.
Por San Bartolomé brama el ciervo por primera vez.

Ejercicio XXIII

FRICATIVAS SONORAS [β, ð, ɣ]

La mujer del barbero los sábados come puchero.
Abrígate por febrero con dos capas y un sombrero.

El convidado del diablo acude sin ser llamado.
Mientras mi vecina sea boba, me excuso de gastar mi escoba.
Tanto vale el hombre cuanto vale su nombre.
Unos maderos se doran, otros maderos se queman, y todo es leña.
De las palabras, no el sonido, sino el sentido.
Nada duda quien nada sabe.
No todo se da a todos.
Quien lo gana lo guarda, y quien no lo ganó lo gastó.
Abriga el pellejo si quieres llegar a viejo.
Agua corriente, agua inocente.
Abogado sin conciencia merece gran sentencia.

EJERCICIO XXIV

FRICATIVA SONORA [ǰ]

Hasta el cuarenta de mayo no te quites el sayo.
Joyas falsas, vanidad barata.
Arroyos en el mes de mayo, sardinas para todo el año.
Lo tuyo has de reclamarlo, y lo demás que lo parta un rayo.
Mientras las armas hablan, las leyes callan.
Al mayor temor osarle.
A los osados ayuda la fortuna.
Cuando el malo ayuda, más bien desayuda.
Harto ayuna quien mal come.

EJERCICIO XXV

FRICATIVA SORDA [x]

Muchos ajos en un mortero, mal los maja un majadero.
Sol en teja, sombra en calleja.
Quien no juega es el que gana.
Jamón y vino añejo estiran el pellejo.

Jarro de cristal o de plata no refresca el agua; el mejor jarro, el de barro.

En la gran ciudad de Jauja, se come, se bebe y no se trabaja.

Jaque y luego mate, saca el juego de debate.

Dijo un jaque de Jerez
con su faja y traje majo:
Yo al más guapo el juego atajo
que soy jaque de ajedrez.
Un gitano que el jaez
aflojaba a un jaco cojo,
cogiendo, lleno de enojo,
de esquilar la tijereta,
dijo al jaque: "Por la jeta
te la encajo si te cojo."
"Nadie me moja la oreja",
dijo el jaque, y arrempuja;
el gitano también puja,
y uno aguija y otro ceja.
En jarana tan pareja
el jaco cojo se encaja,
y tales coces baraja,
que al empuje del zancajo,
hizo entrar sin gran trabajo,
a gitano y jaque en caja.

ARRIAZA

EJERCICIO XXVI

EJERCICIO ORGÁNICO DE FRICATIVAS

En los días muy abiertos y limpios, desde las cumbres y las majadas de la solana, se descubre el azul inmenso del Mediterráneo. Los rebaños trashumantes, cuando llegan a los altos puertos se quedan deslumbrados del libre horizonte. Los pastores miran la aparición de un barco de vela, un bello fantasma hecho de claridad. El barco se pierde, se deshace como una ola; o, pasa la tarde, y sigue parado lleno de resplandores; un vapor negro y codicioso se desliza por debajo y lo deja oscurecido de humo. Se queda solo el blanco fantasma, hundiéndose dentro del azul que parece todo mar y todo cielo. Llegada la noche, los astros bajan en el confín, al amor de las aguas. El barco debe estar recamado de estrellas, como una joya de la Virgen de Serosca.

GABRIEL MIRÓ: *El abuelo del rey.*

EJERCICIO XXVII

AFRICADAS: Ejercicios fonéticos, § 9.5., pág. 109.

EJERCICIO XXVIII

AFRICADAS: Ejercicios fonológicos, § 9.6., pág. 109.

EJERCICIO XXIX

AFRICADAS [c, ɟ]

Chocolate frío, échalo al río.
El chisme agrada, pero el chismoso enfada.
A cazuela chica cucharica.
A la leche, nada le eches.
Muchos pocos hacen un mucho.
Cardos en un barbecho pregonan que está mal hecho.
Pues agrada y no emborracha, echa, muchacha.
Buen amigo ni buen yerno no se hallan presto.
El yerno encelado, medio perdonado.
Entre cónyuges y hermanos, nadie meta sus manos.
Quien lee mucho y anda mucho, ve mucho y sabe mucho.

EJERCICIO XXX

EJERCICIO ORGÁNICO DE AFRICADAS

En el lecho conyugal, Petra quería sacarle otras promesas, como si aprovechara que sus pies estaban cubiertos y oscurecidos por las sábanas, mantas y colchas, pero don Federico no los podía olvidar, pues sobresalían como picachos del lecho de tal modo, que estropeaban el modernismo de la cama, que era de las que no tienen balaustrín a los pies.

RAMÓN GÓMEZ DE LA SERNA: *El dueño del átomo.*

EJERCICIO XXXI

NASALES: Ejercicios fonéticos, § 10.7., pág. 117.

EJERCICIO XXXII

NASALES: Ejercicios fonológicos, § 10.8., pág. 117.

EJERCICIO XXXIII

NASALES

El mal año entra festejado y paga en desengaños.
Deja el buñuelo para su dueño.
Quien no sabe mañas no come castañas.
Año de avispas, bueno para las viñas.
Batatas malagueñas, las mejores, las más pequeñas.
En vender y comprar no hay amistad.
La colmena y el conejo en el monte viejo.
Por un mismo camino andan vida y muerte; una va y otra viene.

EJERCICIO XXXIV

LATERALES: Ejercicios fonéticos, § 11.2.6., pág. 126.

Fonética y Fonología españolas

EJERCICIO XXXV

LATERALES: Ejercicios fonológicos, § 11.2.7., pág. 127.

EJERCICIO XXXVI

LATERALES:

Más logran las lágrimas que la lengua.
Flor de olivera en abril, aceite para el candil.
Real sobre real, principio es de caudal.
El sol que madruga es señal de lluvia.
Anciano soldado, viejo heraldo.
Mozo de silla y albarda, pocas veces se halla.
Quien primero llega, primero llena.
Estrellas tristes o veladas, lluvias o granizadas.
No todos los que llevan espuelas tienen caballo.
Cada gallo en su gallinero.
No hay mejor salsilla que la hambrecilla.
Quien parte cebolla su pena llora.
Lluvia que empieza el jueves no llega al domingo.
La mala plaga, sana; la mala fama, mata.
El asno chiquillo siempre es borriquillo.
Cuello sin aderezo, llámale pescuezo.
Quien fue a Sevilla perdió su silla.
A la ballena todo le cabe y nada le llena.

EJERCICIO XXXVII

EJERCICIO ORGÁNICO DE NASALES Y LATERALES

La gente, volviendo de misa o del matinal correteo por las calles, asalta en la Puerta del Sol el tranvía del barrio de Salamanca. Llevan las señoras sencillos trajes de mañana; la blonda de la mantilla envuelve en su penumbra el brillo de las pupilas negras; arrollado a la muñeca, el rosario; en la mano enguantada, un haz de lilas o un cucurucho de dulces, pendiente por una cintita del dedo meñique. Algunas van acompañadas de sus niños; ¡y qué niños tan elegantes, tan bonitos, tan bien tratados!

EMILIA PARDO BAZÁN: *"En tranvía"*,
Cuentos dramáticos.

EJERCICIO XXXVIII

VIBRANTES: Ejercicios fonéticos, § 11.3.5., pág. 132.

EJERCICIO XXXIX

VIBRANTES: Ejercicios fonológicos, §§ 11.3.6. y 11.3.7., página 133.

EJERCICIO XL

VIBRANTES

Guárdate, moza, de promesa de hombre que como cangrejo corre.

Quien tiene amigo no cierto, tenga un ojo cerrado y otro abierto.

Quien a nadie cree, no merece fe.

Mala madre me diera Dios, y buena madrastra no.

De las frutas, el pero; de los amores, el primero.

Perro de ciego y perro faldero, ¿habrá quien diga que los dos son perros?

Real ahorrado, real ganado.

El perro del herrero duerme a las martilladas, y despierta a las dentelladas.

Decir refranes, es decir verdades.

Quien por el romero pasa y no coge de él, ni tiene amores, ni piensa tener.

Mirados desde el tendido, todos los toros son chicos.

Herrando y errando se aprende el oficio.

EJERCICIO XLI

EJERCICIO ORGÁNICO DE VIBRANTES

... Corríamos, locos, a ver quién llegaba antes a cada higuera. Rociíllo cogió conmigo la primera hoja de una, en un sofoco de risas y palpitaciones.—Toca aquí. Y me ponía mi mano, con la suya en su corazón, sobre el que el pecho joven subía y bajaba como una menuda ola prisionera. Adela apenas sabía correr, gordinflona y chica, y se enfadaba desde lejos. Le arranqué a Platero unas cuantas brevas maduras y se las puse sobre el asiento de una cepa vieja, para que no se aburriera.

JUAN RAMÓN JIMÉNEZ: *Platero y yo.*

EJERCICIO XLII

EJERCICIO ORGÁNICO

Para que se vea lo que son las cosas de esta vida, y cómo en ella lo chico está fundido y compenetrado con lo grande: una cuestión tan prosaica como la del alcantarillado, me llevó a descubrir un rasgo típico nuestro: la devoción al agua; y un tema tan manoseado como el de los ensanches, me condujo a hablar de otro rasgo no menos granadino: el amor al pan, y el uno y el otro me llevan como de la mano al centro de nuestras almas, donde se encuentra el eje de nuestra vida secular y el secreto de nuestra historia. Un pueblo que concentra todo su entusiasmo en el pan y en el agua, debe ser un pueblo de ayunantes, de ascetas, de místicos. Y así es en efecto: lo místico es lo español, y los granadinos somos los más místicos de todos los españoles, por nuestro abolengo cristiano y más aún por nuestro abolengo arábigo.

ANGEL GANIVET: *Granada la bella.*

EJERCICIO XLIII
SINALEFA

Arco en el cielo, agua en el suelo.
El coral está en la mar.
Esta extensión de terreno es magnífica.
La moda europea está muy extendida.
Esto es un pozo inundado.
Contemplo el césped del jardín.

EJERCICIO XLIV

No bien sintió Pepita el ruido y alzó los ojos y nos vio, se levantó, dejó la costura que traía entre manos y se puso a mirarnos. Lucero, que, según he sabido después, tiene ya la costumbre de hacer piernas cuando pasa por delante de la casa de Pepita, empezó a retozar y a levantarse un poco de manos. Yo quise calmarle; pero como extrañase al jinete, despreciándole tal vez, se alborotó más y más y empezó a dar resoplidos; a hacer corvetas y aun a dar algunos botes, pero yo me tuve firme y sereno, mostrándole que era su amo, castigándole con la espuela, tocándole con el látigo en el pecho y reteniéndole por la brida. Lucero, que casi se había puesto de pie sobre los cuartos traseros, se humilló entonces hasta doblar mansamente la rodilla, haciendo una reverencia.

VALERA: *Pepita Jiménez.*

EJERCICIO XLV
ESQUEMAS ACENTUALES: págs. 155-157.

EJERCICIO ORGÁNICO

España fue cristiana quizá antes que Cristo, como lo atestigua nuestro gran Séneca. El cristianismo nos vino como anillo al dedo, y nos tomó para no dejarnos jamás; después de muchos siglos hay aún en España cristianos primitivos, y la mendicidad continúa siendo un modo permanente de vivir, una profesión de las más seguidas. Si la mitad de nuestra nación fuese muy rica y pudiese dar mucho, la otra mitad se dedicaría a pedir limosna. Así, en aquella época de ventura en que nos venía "oro de América", España fue simbolizada por un paisano nuestro, Hurtado de Mendoza, en dos tipos sorprendentes de *El lazarillo de Tormes*: el lazarillo es la mendicidad plebeya y desvergonzada; y aquel hidalgo que se enorgullece del fino temple de su espada y de sus solares imaginados, que sueña grandeza y se nutre —como en broma— de los mendrugos que recoge su criado, es la noble mendicidad. Yo veo en esas creaciones las dos figuras más grandes, las mayores del arte patrio: Don Quijote y Sancho Panza.

ANGEL GANIVET: *Granada la bella.*

EJERCICIO XLVI

EJERCICIOS DE ENTONACIÓN, v. cap. XV.

EJERCICIO XLVII

EJERCICIO ORGÁNICO DE ENTONACIÓN

PERIODISTA.—Señorita, ahora tendrá usted que perdonarme que la someta a un pequeño cuestionario...

GLORIA.—Con mucho gusto. Usted dirá. (*Se sientan.*)

PERIODISTA.—(*Con el lápiz y hojeando un libro de notas.*) ¿Eeeeh?...Usted siguió esta carrera por propia vocación, ¿no?

GLORIA.—¡Ah!, desde luego.

PERIODISTA.—Por distinguirse, naturalmente, de esas señoritas ociosas que...

GLORIA.—No, señor; por el deseo de hacer algo útil que entretuviera mi vida; nada más.

PERIODISTA.—(*Escribiendo.*) Utilidad y entretenimiento. Y, claro, que cuando usted ha estudiado, ¿es que está fuera de las costumbres del gran mundo?...

GLORIA.—No, señor; no estoy fuera.

PERIODISTA.—(*Escribe.*) No está fuera. Entonces, el gran mundo, ¿no le parece a usted mal?

GLORIA.—Tan interesante como otro cualquiera.

PERIODISTA.—Curioso, curioso...

GLORIA.—Quizá más, porque está más alto y todos sus acontecimientos son de mayor ejemplaridad y obliga a vivirlo, para vivirlo dignamente, con mayor decoro.

PERIODISTA.—Bueno; pero, por lo menos, le molestará la frivolidad con que sus individuos proceden y...

GLORIA.—No, no me molesta.

PERIODISTA.—(*Escribe.*) No le molesta.

GLORIA.—No me molesta, porque, generalmente, tiende a la frivolidad todo el que tiene resueltas las necesidades fundamentales de la vida.

PERIODISTA.—Pero no me negará usted que un millonario trabaja poco...

GLORIA.—Trabaja poco porque no tiene necesidad de trabajar mucho; pero que le caiga el premio mayor de la lotería de Navidad a un empleado, y verá usted cómo no vuelve a la oficina.

PERIODISTA.—Usted quiere decir que con dinero no hay quien vaya a la oficina.

GLORIA.—No; yo lo que quiero decir es que con dinero no va uno más que donde quiere y a las horas que le convenga, pertenezca a la clase social que pertenezca.

PERIODISTA.—Pero convendrá usted en que las costumbres del gran mundo se resienten de un exceso de libertad que...

GLORIA.— No, señor; no convengo.

PERIODISTA.—No conviene. (*Aparte.*) No doy una. (*Alto.*) Pero, por ejemplo, eso de que las mujeres fumen...

GLORIA.—No me parece mal. Un cigarrillo, en manos de una mujer, tiene cierta gracia atractiva. Hoy fuman las mujeres de casi todos los pueblos más cultos del mundo. ¿Quiere usted un cigarrillo? (*Se lo ofrece.*)

PERIODISTA.—No fumo. Muchas gracias. Bueno; y eso de la falda corta...

GLORIA.—Es magnífico. Educa la vista y la tranquiliza... ¿No lo cree usted? Nuestras piernas han perdido todo su valor.

PERIODISTA.—Según, según... Las hay tranquilizadoras, como palos...; pero las hay que... En fin: bueno... Lo que no me negará es que esa libertad en las costumbres... Eso de que una jovencita vaya sola...

GLORIA.—No tiene la menor importancia. Lo grave es que vaya acompañada. ¿No le parece a usted?

PERIODISTA.—¡Ah, sí, sí!... ¡Puro humorismo! (*Escribe.*) Mujer absolutamente del día.

GLORIA.—Pero ponga usted que del día del juicio..., del buen juicio, al menos...

PERIODISTA.—¡Ah, desde luego, desde luego!... Una última pregunta: ¿Usted vivirá en su hogar querida y admirada de los suyos, en plena felicidad?...

GLORIA.—¡Ah, sí, sí, naturalmente!

PERIODISTA.—Y, si no fuera indiscreto, ¿de amores...?

GLORIA.—Diga usted que no he salido del singular.

PERIODISTA.—¿Uno solo?

GLORIA.—Y que Dios me lo conserve.

PERIODISTA.—Así sea. Señorita, a sus gratas órdenes. Celebro que hayamos estado de acuerdo en todo...

GLORIA.—¡No podía ser menos!

PERIODISTA.—Y ya le enseñaré las galeradas, por si alguna pequeña rectificación...

GLORIA.—No, no hace falta... ¿Sabrá usted salir?

PERIODISTA.—Sí, sí; por este pasillo, a la derecha...

GLORIA.—Exacto.

CARLOS ARNICHES: *La condesa está triste.*

ÍNDICES

ÍNDICE DE ILUSTRACIONES

ÍNDICE DE MATERIAS